KB076774

음식 18

차례

장 행복하게

들어가며

　내가 처음 우리 반에서 하는 책 프로젝트에 대해 들었을 때 떠오른 생각은 " 오무라이스 잼잼! " 이었다. 오무라이스 샘잼은 내가 좋아하는 웹툰 이름이다. 그 책은 작가의 일상과 먹는 음식들로 이루어져 있는데 너무너무 재밌다. 그래서 나는 그 장르와 같은 책을 쓰기로 했다!

　내가 이 책에 대해 원하는 것은 딱 2가지다.
1. 크! 소리가 나게 하는 멋진 표현을 하나쯤은 쓰고 싶다.
2. 피식! 소리가 나게 하는 실없는 소리를 한번 쓰고 싶다.

　앞으로 이 책은 나와 음식에 관한 얘기를 쓸 것이다.
가끔은 웃게 하고, 입 안에 침이 고이게 만드는 그런 이야기!
아무쪼록 재미있고 맛있게 읽어주세요!

희망을 담아
2023년 6월 7일 진가은

1장 가볍게

1화 토마토는
억울한 박쥐

박쥐가 나오는 이야기가 하나 있다. (제목은 기억나지 않지만) 그 박쥐는 각기 다른 편에 섰다가 결국 양쪽에게 들통나서 밤에만 다닌다는 이야기(가물가물하다). 박쥐가 좋지 않은 선택을 한 것은 맞지만, 가끔은, 박쥐와 같은 선택을 해야 하기도 한다. (내 생각에는 가끔 이편저편에 따라 옮기는 것은 생존에 도움이 되는 것 같기도 하다) 예를 들어 "엄마가 좋아? 아빠가 좋아?"라고 물어보면 "둘 다 좋아!"가 모범 답안이다. 그런데 불량한 자전거 여행의 주인공 호진이는 엄마한테는 "엄마가 좋아" 아빠한테는 "아빠가 좋아"라고 말했다고 한다.[1] 마치 박쥐와 같은 행동이다.

그리고 억지로 박쥐가 되는 경우도 있다. 바로 토마토다. 어떨 때는 과일이고 어떨 때는 채소니까. 토마토도 분명 답이 있을 텐데. 참 아이러니하다. 유치원에서는 토마토가 채소라고 배웠는데 지금 생각해 보면 과일 같기도 하다. 또다시 생각해 보면 채소 같기도 하다. 네이버 국어사전에 의하면 과일은 "나무 따위를 가꾸어 얻는, 사람이 먹을 수 있는 열매. 대개 수분이 많고 단맛 또는 신맛이 난다."라고 나오고, 채소는 "밭에서 기르는 농작물. 주로 그 잎이나 줄기, 열매 따위를 식용한다. 보리나 밀 따위의 곡류는 제외한다."
라고 나온다.2) 그 기준으로 따지면 과일이라 여기는 수박도 채소일
수밖에 없으니 참 아이러니하다.

그러나 난 상관없다! 맛있으면 되니까! 그런 생각은 잠시 덮밥처
럼 토핑으로 덮어두고 토마토를 맛있게 음미하면 된다. 나는 토마
토를 자른 뒤에 소금을 뿌려 먹는 것을 정말 정말 좋아한다. 토마
토의 새콤달콤한 맛 속에는 짭짤한 맛이 깊숙이 숨겨져 있다. 단맛
이 최고였던 어렸을 때는 설탕을 뿌려 먹었지만, 지금은 소금이 최
고다.

소금을 좋아했던 5학년 때쯤은 소금, 올리브유, 리코타 치즈를 곁
들여 먹었다. 그때는 올리브유를 꼭 내가 뿌려야 했다. 왜냐하면,
엄마는 너무 조금 뿌려서 간에 기별도 안 갔기 때문이다. 올리브유
를 뿌릴 때 나는 접시에 얇은 막이 생길 정도로 뿌리고 엄마는 핫
도그에 케첩 뿌리듯이 뿌리신다. 그런데 지금 생각하면 내가 너무
많이 뿌리기는 한 것 같다.

그러나 지금은 그냥 올리브유 넣기가 귀찮아서 그냥 소금만 뿌려
먹는다. 그리고 집에 리코타 치즈가 없다. 그래도 소금은 꼭꼭 내가
직접 뿌려야 한다. 엄마는 짜다며 너무 조금씩 뿌리신다. 소금을 적
게 뿌리면 맛이 없다.(짠 걸 좋아하는 내가 남들보다 좀 짜게 먹긴
하지만.) (여담으로 집에 있을 때 무슨 소스가 남으면 숟가락으로
박박 긁어먹는다. 추접스럽지만 너무 맛있는걸.)

토마토의 역사는 오래전으로 거슬러 올라간다. 토마토는 남미(남
아메리카) 페루의 안데스산맥에서 유래되었다고 추정된다. 그러다가

16세기 초 유럽에 알려졌다. 처음에는 독초 취급을 받았다고 한다. 이렇게 맛있는 독초라니! 참 어처구니가 없다! 생각해 보면 내가 1, 2학년 때쯤 방울토마토를 많이 먹으면 배가 조금 아프곤 했는데, 그걸 생각하면 파리의 눈곱(파리가 눈곱이 있는지도 모르겠지만)만큼 일리가 있는 것 같다. 그래도 배 조금 아프다고 독초 취급을 하는 것은 토마토 입장에서는 억울하다고 생각한다.

조금 더 조사해 보니, 사람들은 토마토가 악마의 음식이라고도 여겼다고 한다. 이 이야기는 500년 전 유럽으로 거슬러 올라간다. 500년 전 유럽은 마법을 썼다고 의심되는 사람을 재판하는 마녀사냥이 기승을 부리고 있었다. 당시에는 마녀가 악마에게 속한 사람이며 귀신과 계약하거나 교제를 해 굉장한 마력을 쓸 수 있고, 사람을 해칠 수 있는 연고를 가지고 있다고 생각했다.

그런데 사람들은 그 연고에 포함된 성분들은 독, 당근, 가짓과 식물들, 환각 작용이 있는 식물들을 기초로 만들어졌다고 여겨졌다. 토마토가 이런 식물들과 생물학적 종이 가깝고(이해는 못 하겠지만) 외형도 비슷했다는 이유로, 사람들은 토마토를 악마의 음식이라고 여겼다. 그리고 어처구니없게도 토마토를 먹으면 늑대인간이 된다는 속설도 널리 퍼져있었다. 그때 사람들은 이 허무맹랑한 사실을 과학적이라고 여겼다고 한다.

시간이 흐르자, 파리의 눈곱보다 조금 더 큰 생쥐 눈곱만큼 과학적인 가설도 생기기 시작했다. 17세기 초에는, 토마토의 과육과 과즙에 강한 산이 포함되어서 주석이 주재료인 황금 백랍 식기에서 인체에 해로운 구리가 나온다고 생각했다. (이건 조금 일리가 있어

보이네.) 그래서 17세기에도 토마토를 여전히 먹지 않았다. (참 바보 같다… 그냥 토마토를 황금 백랍 식기에서 먹지 말지.)

다시 본론으로 돌아가서 독초 취급을 받던 토마토가 지중해 지역에서 재배되면서 사람들은 토마토의 진가를 알아봐 주기 시작했다. 토마토가 지중해 쪽에서 잘 자라는 이유는 토마토는 건조하고 햇빛이 많은 곳에서 잘 자라는데 지중해의 건조하고 햇빛이 많은 자연환경 덕분에 토마토가 자라기 안성맞춤이었다. 분명 사람들은 토마토를 먹고 한눈에 반했을 것이다. 왜? 어마어마하게 맛있으니까! 그리고 곧 북유럽 전체에 전파되었다. 그리고 미국으로도 전파되었고 우리가 토마토만큼 자주 먹고 사랑받는(아마도) 케첩이 탄생했다!

케첩은 나중에 쓸 회차 후보라 자세히 이야기하지는 않겠지만(쓸지는 확실하지는 않다. 지금은 11월 10일, 이 회차를 고쳐 쓰고 있는데 케첩은 안 나온다.) 케첩 1kg에 무려 토마토 29개가 사용된다. 헉!!! 그 정도면 내가 아주 오랫동안 먹을 수 있는 양이다. 아! 갑자기 분홍 소시지 전을 케첩에 찍어 먹고 싶다. (소스를 좋아하는 나는 케첩도 어마어마하게 많이 찍어 먹는다. 감자튀김을 케첩에 찍어 먹을 때, 감자튀김보다 케첩이 더 많을 정도다.)

본론으로 돌아가서(이 말이 유독 많이 나오는 것 같다), 지중해에 전파된 이후부터 사람들은 토마토를 좋아하고 맛있게 먹고 재배도 했다. 토마토는 다시는 억울한 누명을 쓰지 않고 원래 모습과 맛으로 사랑받기 시작한 것이다. 토마토야 축하해!

토마토가 누명을 쓴 세월은 길었다. 그리고 미국에서도 차별을 겪었다. 매사추세츠주(이름이 길고 복잡하다) 위스콘신에서는 정원에 토마토를 재배하는 것을 금지한다는 법률이 있었다. 이건 아까 언급되었던 마녀의 음식이어서가 아니고, 토마토와 마찬가지로 차별을 겪었던 이탈리아인 때문이다. 매사추세츠주에서의 이탈리아인들이 증가하자 이유는 모르겠지만 토마토를 심는 이탈리아인을 제거해 이웃 주민이 앵글로 색슨계(나무위키에 의하면 서기 5세기 브리튼 섬에 이주한 게르만족의 일파. 현재 잉글랜드인의 직접적인 기원이라고 말한다)라는 것을 증명하기 위해 토마토 재배를 금지하는 법률이 생겼다고 한다.3)

요약하자면(키다리 아저씨에서 주디의 국어 선생님이 이 말을 자주 쓴다고 한다.) 토마토는 억울한 박쥐고, 나는 소금을 뿌려서 먹고, 오래전 온갖 어처구니없는 차별을 받았지만, 지금은 사람들에게 사랑받고 있다. 나 역시 토마토를 좋아하는 사람이다!

끝!

여담으로 빨간색을 보면 허기진다고 한다. 왜냐하면, 첫째, 빨간색은 위험을 뜻하고 신체 반응을 일으킬 수 있다. 몸에서 일어나는 반응의 속도를 높일 수 있어서 곧 배가 고프다. 둘째, 빨간색은 과

일이 익었다고 알려주고, 충분히 익은 과일에는 당분이 풍부하다. 셋째, 빨간색 음식 상표가 너무 많아서 빨간색을 보면 배고프다고 떠올리는 것이다.4) 생각해 보면 빨간색 음식 중에 내가 좋아하는 것은 많다. 대표적으로

1. 토마토
2. 고추장
3. 살사
4. 토마토로 만든 여러 가지 가공품
5. 라면(이건 좀 애매한 것 같다.)
6. 쌈장(얘도 좀 애매하다.)

등이 있다. 나는 이 음식을 보면 먹고 싶어지기 때문에 나도 이 의견에는 동의한다.

2화 맨밥

크림 스프

이 이야기는 서론이 길다. 얼마 전, 지금 내가 이 이야기를 쓰고 있는 시점으로는 이틀 전, 급식 옆자리에 앉는 친구가 맨밥만 받아 왔다. 바로 그 친구가 장염에 걸렸기 때문이다. 맨밥만 먹으면 맛이 없을 것 같다. 한두 숟가락은 괜찮은데 먹다 보면 밥이 질척거리거나 퍽퍽하고 결정적으로 맹숭맹숭하다. 이럴 때 양념만 있어도 맛있을 텐데….

내게는 어른이 되어서 하고 싶은 버킷리스트가 있다. 거기에는 천장에 TV 달기 이런 것들이 있는데, 그중 하나가 짜게 맨밥만 먹기다. 대표적으로 간장과 밥! 고추장과 밥! 이런 것들이다. 가끔 먹고 싶은데 미뤄두고 있다. 맨밥과 장은 별거 없는데 은근히 맛있다.

그런데 가끔 은근슬쩍 맨밥에 양념을 먹을 수 있는 날이 있다. 바로 제삿날이다. 제사 음식에 고기 찍어 먹을 용도로 간장이 올라가는데 끝나고 제사 음식을 먹을 때, 슬쩍 간장과 밥을 먹으면 크! 소리가 나지는 않지만, 소소한 만족감을 준다. 제사 음식은 제사를 기다리는 소소한 이유다.

제사를 기다리는 가장 큰 첫 번째 이유는 바로 게임이다. 제사를 지내러 할머니 댁에 가면 삼촌이 있는데, 삼촌은 나와 동생에게 게임기를 빌려주신다. 그것도 우리 집에 있고 나보다 나이가 많은 닌텐도 위보다 질이 훨씬 좋은 닌텐도 스위치를 말이다. 제삿날은, 평상시에는 누려볼 수 없는 긴 시간 동안 게임을 할 수 있다. 정말 황홀하다. 닌텐도 스위치에는 이사 게임과 요리 게임이 있는데 나는 개인적으로 요리 게임이 더 재미있다.

요리 게임에서 만드는 음식은 여러 가지인데, 나는 거기에서 만드는 스프류를 가장 선호한다. 왠지 모르겠지만 스프가 그냥 좋다. 실제로 나는 스프를 그다지 좋아하지 않지만 요리 게임에서는 좋다. 스프가 좋을 때가 하나 더 있다.(서론 끝났습니다. 주제는 스프입니다.) 바로 식당에서 음식을 기다릴 때 주는 식전 스프! 배고플 때 주는 스프라 크흐! 맛을 음미해 가면서 먹으면 오뚜기 크림 스프 같다. 내 입에는 다 비슷비슷하다.

1월쯤, 다솜 언니(외삼촌의 첫딸, 대학교 4학년이다)가 뭐 수술(기억이 안 난다. 성형 관련이었다? 엄마가 알려줬는데 양악이었다) 때문에 우리 집에 왔다. 그때, 그 언니는 양악 수술 때문에 먹을 수 있는 게 묽은 죽, 스프, 뉴케어(영양음료 비슷한 거, 노인들이 자주 섭취한다), 물 이런 것밖에 없었다. 엄마는 언니를 위해 오뚜기 스프를 사서 자주 끓여주고, 듣도 보도 못한 오만가지 죽을 끓여다 주었다. 식탁에 오뚜기 스프가 자주 나와 있었는데, 그때마다 나는 가루를 몰래 먹었다. (엄마는 아시는 것 같다.)

우선 몰래 가루를 손에 붓고 입안에 털어 넣고 손에 붙어있는 가루는 책에 쓰기 좀 민망한 방법으로 처리했다. 그다음 맛을 음미하며 손을 씻는다. (손을 씻는 이유는 민망한 방법과 관련이 있다) 처음에는 스프 가루를 그냥 먹고, 다소 더럽지만 침에 가루를 녹여서 걸쭉한 크림 스프를 입안에서 만들어 먹는다. 그러면 소소한 행복이 밀려온다. 흐흐! 얘기하다 보니 그 맛이 생각난다.

내가 미각을 표현하는데 둔한 만큼 맛을 잘 표현하지는 못하지만, 오뚜기 크림 스프는 참 맛있다. (가루만 먹을 때는 좀 짜지만) 크림 스프를 끓여본 적은 없지만, 인터넷의 힘을 빌려서 한번 조리법을 적어보겠다.

공식적으로 스프의 명가 오뚜기가 알려준 조리법은

1. 크림 스프 80g에 찬물 800mL(4컵)를 부어 잘 풀어줍니다.
2. 불에 올려놓고 끓을 때까지 잘 저어준 다음, 끓기 시작하면 불을 약하게 합니다.
3. 눌러 붙지 않도록 가끔 저으면서 3분간 더 끓이면 맛있는 오뚜기 크림 스프가 됩니다.[5]

그러나 이 책의 모티브가 된 웹툰인 오무라이스 잼잼의 저자 조경규 님이 밝힌 웹툰으로 밝힌 그분의 크림 스프 조리법은 굉장히 비범하다.

1. 원래 조리법에서 넣는 물만큼 우유를 투입!
2. 맛있는 치즈 한 장을 올려도 좋다.
3. 브로콜리, 버섯 등을 투입해도 좋다.[6]

와우! 맛있겠다! 아! 조경규 작가님이 밝히시길, 이 조리법대로 하면 고급 요리와 같은 풍미가 느껴진다고 한다. 작가님께서 처제한테 크림 스프를 해주었는데 오뚜기 크림 스프인지 몰랐다고 한다.

아마도, 우리가 먹는 크림 스프의 대부분은 오뚜기 크림 스프로 생각보다 많은 곳에 오뚜기 크림 스프가 숨어 있기 때문인 것 같다. 오뚜기 크림 스프는 패밀리 레스토랑, 조식 뷔페, 경양식 식당 등 많은 곳에서 사용된다. 그리고 우리 집 식탁에서도 사랑받는다. 그리고 우리는 오뚜기 크림 스프를 아주 맛있게 포만감이 느껴지게 먹는다고, 나는 엄마 몰래 가루를 먹고.

흠…. 이제 어떡하지? 이야깃거리도 다 떨어졌는데? 이러면 서론보다 본론이 짧은데? 아! 오무라이스 잼잼 조경규 작가님을 따라 해야지! 조경규 작가님도 이럴 땐 그냥

3화 이게

왜 맛있는 거지?

가끔 어른들이 먹는 그것 중에 이해되지 않는 것들이 있다. 나에게는 커피와 술이 그렇다. 가끔 엄마가 맥주를 마실 때 한두 모금 마셔보지만, 술은 나에겐 너무 쓰다. (내 의견으로는 맥주는 향만 좋다) 그걸 마시는 것도 술이 맛있다는 것도 잘 이해가 되지 않는다. (결국엔 나도 왠지 마시게 될 것 같다)

커피도 처지가 비슷하다. 가끔 엄마, 아빠가 마실 때 한 모금 정도 마셔보지만, 너무너무 쓰다. 그래서 이제는 마시지도 않는다. 설탕이 듬뿍 들어있는 믹스커피(이건 왜 마시는지 알 것 같다. 설탕을 조금만 더 넣으면 나도 마실 수 있을 것 같다. 단맛이 쓴맛을 부드럽게 덮어버린다. 그런데도 쓰다.)도 쓰고 아메리카노는 더 쓰다. 에스프레소는 마셔보지도 않았지만 어마어마하게 쓸 것 같다. 에스프레소에 물 섞은 거(아메리카노)도 엄청 쓴데, 에스프레소는 당연히 쓸 것 같다. 그것도 어마무시하게. 뭐, 내가 어른이 되면 그 맛을 알겠지만, 아직 6학년인 나는 그 맛을 알기 너무 어렵다.

그럼, 왜 나한테는 쓴 커피는 어른들한테 왜 맛있는지 한번 인터넷을 찾아보았다.

"대학, 직장 들어가고 커피의 맛을 알게 될 거예요. 알고 싶지 않아도 알게 되는 생명수 같은 거랄까?"

"살려고 마시게 되더라ㅜㅜ"

"아이스 아메리카노는 맛으로 먹는 게 아니란다…. 직장인의 포션이란다…."

"아이스 아메리카노 같은 건 예술이지. 우리 선조들이 식후에 마시던 숭늉이나 보리차 같달까? 입술에 얼음이 딱 닿으면서 온몸으로 서서히 퍼지는 시원~~한 느낌!"

흠…. 이 글들을 보니 커피의 맛을 모르는 것이 나을 수도 있겠다….

그러면 이 커피는 언제 어디서 탄생했나? 커피콩의 원산지는 바로 아프리카에 있는 에티오피아다. 이것에 관한 설이 하나 있는데 에티오피아 산지에 살고 있던 목동 칼디는 염소를 돌보고 있었다. 그러나 어느 날 염소들이 잠도 안 자고 펄쩍펄쩍 뛰어다니고 있었다. 칼디는 그걸 매우 이상하게 여기고 염소들을 관찰했다. 그래서 염소들이 붉은 열매를 먹으면 그런다는 것을 알게 되었다. 그 붉은 열매가 바로 커피였다.

그러다가 12세기쯤에 아프리카에서 예멘으로 커피가 전해졌다고 한다. 이 커피를 처음 접한 수피교도 수도승들은 이 음료(커피)가 긴 기도 시간 동안 졸음을 쫓아줄 수 있다는 것을 깨달았다. 수피교도 수도승들은 커피콩을 냄비에 넣어 마치 한약처럼 달여 먹었다고 한다. 수피교도들은 그래서 성지 순례를 갈 때 필수로 커피를 챙겨 갔다고 한다. 수피교도 수도승들은 이 음료들 '카와'라고 불렀다.

카와는 고대 아랍어로 정신을 날카롭게 해주는 음료인 술을 뜻한다. 이 아랍어 '카와'는 영국의 '커피', 폴란드의 '카바', 네덜란드의 '코피에', 프랑스와 이탈리아의 '카페'(왠지 어른들이 커피 마시러 가는 카페가 여기서 유래한 것 같다. 확실하지는 않다), 그리스의 '카페오', 튀르키예의 '카베' 등 여러 커피 단어의 어원이 되었다.

그래서 수피교도들이 순례를 간 메카에는 카프바 하(아랍어로 커피집이라는 뜻이다)라는 커피숍이 시작되었다. 튀르키예의 조상인 오스만제국에서 전 세계 유일한 커피 생산지인 예멘을 정복하면서 오스만제국이 커피를 독점하게 되었다. 이슬람 제국인 오스만제국은 술을 금지하기 때문에 커피는 16세기에 폭풍적인 인기를 끌었다. 게다가 이슬람의 중심지인 메카에서 커피가 유행하니까 다른 이슬람 국가에도 널리 널리 퍼졌다.

이렇게 커피가 퍼지게 된 이유는 오스만제국의 술탄인 슐레이만 1세의 역할도 있다. 그는 커피 농사를 장려했다. 왜냐하면 커피콩이 여러 곳에서 높은 가격에 팔리고 있었기 때문이다. 많은 사람이 커피 농사를 짓자, 커피는 오스만제국의 수도 콘스탄티노플(지금의 이스탄불이다.)에서도 구하기 쉬워졌다. 그리고 커피는 오스만제국의 특산품이 되었고 슐레이만 1세는 커피를 끓이는 하인을 따로 두었고 상류층에서도 집에 커피 방을 따로 관리했다고 한다.[7]

그다음 터키 풍습을 즐기는 유럽 상류층을 중심으로 17세기에는 유럽에 전파되었다. 그 뒤로는 세계 곳곳에 전파되었다. 20세기에는 이탈리아에서 초고압으로 빠른 시간 안에 커피를 추출하는 에스프레소 기계가 개발되었다. 에스프레소는 빠르다는 의미의 익스프레스(놀이기구 이름에 많이 들어간다. 그것도 주로 롤러코스터에서)에서 이름을 따왔다. 그래서 에스프레소는 이름 그대로 빠르게 추출하고 빠르게 마시도록 고안된 커피이다. 커피가 맛없어지기 전인 2분 안에 마시는 게 좋다고 한다. 지금도 이탈리아인들은 에스프레소를 좋아한다.8)

그러나 이 에스프레소가 2차 세계대전에 참전한 미국인들에게는 너무 쓴 모양이었다. 그래서 에스프레소에 물을 좀 부어 먹었다고 한다. (쓴 게 희석되어 덜 써지니까) 이탈리아 사람들의 입장에서는 이 물 부은 커피는 미국의 커피라고 생각하여 미국식 커피의 의미인 카페 아메리카노라고 부르기 시작했다. 이게 바로 아메리카노다. (나는 아메리카노의 아메리카가 미국을 뜻하는지도 몰랐다.)

물론 가장 일반적인 미국식 커피는 한때 우리나라 가정에도 많이 있었던 커피메이커로 내린 커피일 것이다. 바로 드립커피다. 맛은 구수하고 부드러워 마음이 편안해지는 맛이었다고 한다. 미국인들은 아주 오랫동안 드립커피를 마셔왔고 지금도 마시고 있다고 한다.

아까 언급했던 대로 아이스 아메리카노는 에스프레소에서 유래되었다고 했다. 그런데 왜 한국에서는 아메리카노가 압도적으로 인기일까? 게다가 한국에는 에스프레소 베이스의 커피들 위주로 정착했다고 한다. 아마도 한국의 빨리빨리 문화 때문이라고 말한다.

그럼 아이스 아메리카노는 어떻게 생산될까? 우선 커피나무에서 꽃이 피길 기다린다. 꽃을 기다리는 이유는 빨간 구슬 같은 영롱한 열매를 기다리는 것이고 열매를 기다리는 이유는 안에 들어있는 2

개의 커피콩을 기다리고 있기 때문이다. 그다음 커피콩을 수확해서 과육을 제거하고 건조한다. 뜨겁게 볶으면 커피 성분이 농축되면서 커피의 향이 나고 윤기가 흐르는 갈색이 된다. 그걸 잘게 갈아 부수면 커피를 만들 수 있는 것이다. 그걸 에스프레소 기계를 이용해 커피 원액을 뽑아낸다. 그게 바로 에스프레소다. 거기에 물을 타면 아메리카노가 완성된다. 그다음 조금만 더 변형시키면 카페라떼, 카푸치노, 캐러멜 마키아토 등이 완성된다.

　나도 언젠가는 이런 방식으로 내린 커피들을 마시게 되겠지⋯. 뭐, 믹스 커피(이건 설탕이 조금만 더 들어있으면 맛있게 먹을 수 있을 것 같다.)로 시작해서 아메리카노로 도달하겠지⋯. 그래도 여전히 커피는 전부 쓰다ㅠㅠ 나는 아직 버블티가 쪽쪽 마시고 있어야지.

끝!

4화 먹고 싶지만
먹기 싫은 것

이 책의 모티브가 된 '오무라이스 잼잼'을 읽다가 어느 날 갑자기 바밤바가 먹고 싶어졌다. 여담으로 나는 바밤바를 한 번도 먹어본 적이 없다. 그래서 며칠 뒤 아이스크림을 사러 갈 때 한 번 사와 봤다. 그런데 막상 사니까 내가 좋아하는 다른 아이스크림들에 밀려 결국엔 먹는 것을 미루고 미뤘다. 학교 갔다 와서 아이스크림을 먹는 게 내 행복인데 이왕이면 그날 땡기는 아이스크림을 먹고 싶었다. 그리고 바밤바의 맛을 모르니 땡기지도 않았다. 그래서 미루고 미루었는데...

어느 날 드디어 바밤바를 먹고 싶었다. 그래서 냉장고 문을 열었는데 두둥! 바밤바가 없었다. 알고 보니 엄마가 먹었던 것이었다! 그래서 엄마한테 화를 내고 못 먹었다. 힝구

그리고 몇 달이 지난 뒤 또 바밤바를 사 왔다. 그런데 잠깐 머무르고 있는 사촌 언니(2화에서 수술을 받은 언니다. 서울에서 놀려고 잠깐 우리 집에 왔다.)가 바밤바를 먹어 버렸다. 그래서 또 못먹었다. 힝구. 아쉽지만 바밤바 내 거라고 내놓으라고 할 수는 없으니까 그냥 내 최애 아이스크림인 녹차마루(한번 먹으면 달고 진한

녹차의 풍미가 올라온다.)를 먹었다. 여담으로, 엄마는 언니를 할머니 입맛이라고 놀렸다.

바밤바는 그전에 내가 좋아하는 아이스크림들의 그림자에 갇혀있었다. (내가 밤을 좋아하지 않기 때문이다. 그 이유는 뒤에 나온다.) '오무라이스 잼잼'은 조금 더 연한 그림자로 바밤바를 옮겨주긴 했지만, 여전히 그림자다. 그리고 나랑 접촉하려고 하는 순간 누군가의 손에 들어간다. 그러니 내가 바밤바에 끌리더라도 먹지 못할 수밖에. 힝구(좀 멋있게 써보려고 했지만 생각한 만큼 멋있게 나오지 않았다.)

솔직히 나는 밤을 좋아하는 것도 좋아하지 않는 것도 아니다. (얼마 전 새로 산 밤 인형은 좋아한다. 생김새도 귀엽고 보들보들하다. 나는 정안 알밤휴게소도 좋아한다.) 할머니나 엄마가 밤을 삶아 반으로 쪼개주면 맛있게 먹긴 하지만 하나 먹기가 너무 힘들다. 숟가락으로 밤 속을 박박 긁어먹어야 한다. 그리고 왠지 모르게 껍질에 붙어있는 것도 아까워서 목욕탕 세신 하시는 아주머니보다 숟가락으로 박박 민다. 그러다 보니 입은 뭔가 갑갑해지고 손은 아프다. 그래서 몇 개 못 먹는다.

게다가 나는 이런저런 주전부리 등을 공부하면서 먹는다. 그래서 보통 간식을 한 손으로만 먹을 수 있는 구조가 되어있어야 간식을 먹기 수월하다. 그러나 아까 언급한 밤은 먹으려면 양손을 사용해야 하므로 먹기 힘들다. 그게 내가 밤을 아주아주 좋아하지 않는 이유다.

그래도 나는 맛밤은 좋아한다. 얼마 전 학원에 어떤 애가 맛밤을

들고 와서 먹었는데 너무 맛있어 보여서 침을 꼴깍 삼켰다. 맛밤은 그냥 밤(?)과 다르게 한입에 쏙 넣을 수 있어서 맘에 쏙 든다. 역시 맛밤이다.

할머니가 밤을 생으로 깎아 먹기는 하지만 무언가 보이는 모습이 딱딱하고 맛이 없어 보여서 밤을 도저히 생으로 못 먹겠다. (나한테는 생고구마도 같은 경우다.) 그런데 아무리 봐노 먹기는 삶은 밤보다 먹기 쉬울 것 같다. (한 손으로 집어 먹을 수 있으니까) 짧은 시간에 더 많이, 즉 효율적으로 먹을 수 있다.

잠깐 주제를 돌려보자면 옛날 옛적에 시어머니의 극심한 시집살이에 시달리던 한 며느리가 너무 힘들어서 한의사를 찾아갔다고 했다. 그러나 한의사가 내린 처방은 익은 밤 3알을 1년간 꾸준히 시어머니한테 드리면 시어머니가 돌아가신다는 말이었다. 며느리는 그 말대로 했다. (며느리가 그 말을 따른 모양이면 진짜 시어머니 때문에 정말 힘들었을 것 같다.) 그런데 1년 뒤 악독한 시어머니가 돌아가시고 인자한 모습으로 재탄생했다고 했다. (비유적 표현이다.) 그리고 시어머니와 며느리는 사이가 좋아졌다고 했다.

난 약간 이런 전래동화와 한국의 식품으로 인해 밤이 약간 우리나라와 우리나라 주변국에서만 섭취하고 재배하는 음식인 줄 알았는데, 얼마 전 다른 나라에서도 재배하는 음식인 줄 처음 알았다.

그 사례는 얼마 전 밤이 영어로 뭔지 전혀 모르겠고 궁금해서 한번 찾아봤더니 'chestnut'이라고 한다. 나는 이 영단어가 견과류의 한 종류인 무언가를 지칭하는 것은 알았지만 밤을 지칭하는지는 몰랐다. 그리고 이 단어를 얼마 전 외국 소설인 작은 아씨들의 후속

편에서 본 것 같다.

　그래서 이 책을 쓸 겸 한번 찾아봤는데 밤은 아시아, 유럽, 북아메리카, 북아프리카에서 자란다고 한다. 한국 밤은 서양 밤에 비해서 육질이 좋으면서 단맛이 강해서 좋은 품종으로 인정받았다.[9] 그리고 밤이 우리나라에서 제일 많이 생산되어서 내가 밤이 우리나라 및 주변국만 먹는 식품으로 생각한 것 같다.

　그럼, 우리나라에서는 도대체 이렇게 많이 생산되는 밤을 어떤 식품으로 만드는지 찾아봤는데, 우선 그냥 조리를 하지 않은 밤만 팔거나 밤양갱 또는 밤 막걸리도 있다고 한다. 밤식빵과 아이스크림도 있다. 그리고 밤꿀도 있다! 밤꿀은 색이 굉장히 진하고 쓰다고 한다. 밤꿀은 쓴맛 때문에 주로 약으로 쓰인다.

　결론적으로(곧 끝낼 때가 됐다는 말이다), 나는 바밤바를 아직도 못 먹어봤다. 그리고 이상하게 내가 바밤바를 먹기 싫을 때만 있고 먹고 싶을 때는 없다.

여담으로 바밤바의 자매상품인 배뱀배와 벼볌벼가 출시되었다.

배뱀배는 배 맛이고 벼범벼는 벼 맛이다.

또 여담으로 나는 밤 줍기를 좋아했다. (뭐, 아주 재밌어했던 것은 아니고 살짝 즐기는 정도였다. 밤 줍기는 은근히 재밌다.) 맨들맨들하고 동글동글한 밤 여러 개를 모은 다음 만지작거리면 기분이 은근은근 좋아진다. 그런데 벌레 먹은 밤이나 무언가 더러운 게 묻어있는 밤은 줍기 싫다. 만지기도 싫나. 뭐랄까 더러워지는 기분이다. 그리고 요새는 왠지 줍기 싫다. 밤에서 뭐가 나올지 모르니까. 그래서 일주일 전 산에 갔을 때 동생은 밤을 주웠지만 나는 하나도 줍지 않았다. 동생이 주운 밤은 물에 넣어서 벌레 있는 것은 건져내고 이쁜 것만 소장하고 있다. 그런데 지금은 어딨는지 모르겠다. 내 생각에는 엄마가 버린 것 같다. (엄마는 버리는 것을 좋아한다.)

5화 오이냉국에서

바늘 찾기

'건초더미에서 바늘 찾기'라는 속담이 있다. 속담 뜻은 아무리 노력해도 힘든 일을 뜻한다. 비슷한 속담으로는 '서울에서 김 서방 찾기', (이건 진짜 어렵다. 내가 조사해 보니 김 씨가 한국 인구 비율에서 21.507%를 차지한다고 한다.[10]) '사막에서 바늘 찾기', 등 등이 있다. 나에게도 건초더미에서 바늘 찾는 것처럼 힘든 일이 하나 더 있다. 바로 오이냉국에서 우뭇가사리 찾기다.

여기서 잠깐! 우뭇가사리는 뭐냐면 바다에서 자라는 해초다. 나는 우뭇가사리가 예전에는 풀이나 열매를 가공해 만든 묵인 줄 알았는데, 얼마 전 "미지의 파랑"이라는 책을 읽었다. 그런데 거기서 우뭇가사리가 해초인 것을 알았다. (등장인물 중 한 명의 이름이 가사리였다.) 우뭇가사리가 바다에서 자라는 풀이라니!! 깜짝 놀랐다. 우뭇가사리는 칼로리가 매우 낮아 다이어트 식품으로 이용된다. 우뭇가사리가 들어간 오이냉국은 칼로리가 낮다.

오이냉국에서 우뭇가사리 찾기는 은근 힘들다. 우뭇가사리가 투명하고 전혀 티가 나지 않기 때문이다. 숟가락으로 오이냉국을 휘저어서 찾거나 우뭇가사리의 미세한 그림자를 보고 찾아야 한다. 건초더미에서 바늘 찾기 수준은 아니지만, 교실에서 잃어버린 지우개 찾기 수준이라고는 할 수 있다. (이것도 어렵다.)

내가 오이냉국에서 우뭇가사리를 찾는 까닭은 우뭇가사리는 정말 맛있고 탱글탱글하기 때문이다. 오이냉국의 새콤함과 시원함과 어우러진 우뭇가사리의 탱글탱글함은 정말 크! 이루 말할 수 없는 정도로 감동적인 조화다.

오이냉국은 정말 정말 맛있다. 생각해 보면 오이냉국은 국이라고 할 수 없다. 왜냐하면, 네이버 국어사전에 의하면 국은 '고기, 생선, 채소 따위에 물을 많이 붓고 간을 맞추어 끓인 음식.'이라고 한다.[11] 그런데 오이냉국은 끓이지 않는다. 엄마가 만드는 것을 보니까 찬물을 부어서 만들던데...

그래서 오이냉국을 어떻게 만드는지 한번 조사를 해 봤다. 조사를 해봤더니 오이냉국을 어떻게 만드냐면

1. 시원한 냉수를 식초, 소금, 설탕으로 적당히 간을 맞춘다.
2. 썬 오이와 양파 우뭇가사리를 투입한다.
3. 미역은 조금 불려서 넣거나 기호에 따라 뺀다.
4. 휘휘 저어 재료가 골고루 섞이게 한다.
5. 먹을 때는 얼음을 동동 띄워서 먹는다.[12]

어떤 집은 냉면 육수를 사용하거나 미역을 빼기도 한다.

꽤 최근에 엄마가 오이냉국을 만들었는데, 엄마는 미역을 물에 불린 다음에 넣어서 미역에서 비린내가 나고 미역이 딱딱했다고 한다. 난 전혀 몰랐다. 그래서 할머니가 다음부터 미역을 한번 데치고 넣으라고 알려주셨다고 한다.

본론으로 돌아가서 오이냉국은 불을 전혀 사용하지 않는다. 그러니 당연히 끓이지도 않는다. 참 애매한 일이다. 뭐, 이럴 땐 토마토 이야기처럼 결론은 항상 똑같다. 맛있으면 됐지! 답이 없는(?) 질문은 아프고 결론도 잘 나지 않으니 머리 깊은 곳에 잘 묻어두어야 한다. 정 궁금하면 답을 한번 찾아보던가.

아! 지료를 찾아보니 오이냉국은 국이 아니라 냉국의 한 종류였다. 나무위키에 의하면 냉국은 '차갑게 만들거나 식힌 국물에 재료를 담가 시원하게 먹는 국 요리. 대개 얼음과 식초가 들어가 시원하고 새콤한 맛이 특징이며 주로 여름에 먹는 편이다.'라고 나온다. 대표적으로 내가 아까 말한 오이냉국, 미역냉국, 가지냉국, 콩나물냉국, 오이냉국과 마찬가지로 우뭇가사리가 들어간(우뭇가사리로 만든 묵이 들어간다.) 우무냉국, 더덕(난 이 어감이 좋다. 약간 내 느낌으로는 거친 길에서 급정지하는 트랙터 느낌이 난다.)냉국 등 종류가 참 많다.

오이냉국은 결론적으로 미역과 오이가 들어간 냉국이다. 오이냉국의 역사는 아주 오래전으로 거슬러 올라간다. 알다시피 오이냉국은 여름철 무더운 날씨를 시원하게 이겨내기 위해 만들어진 음식이다. '이열치냉'이라는 말도 있듯이 더울 때는 시원한 것으로 이겨야 한다. (여담으로 이열치열은 나를 더 덥게 느껴지게 한다.) 다시 본론으로 돌아가서 오이냉국은 한국 전통 음식이다. 그런데 한 가지 의문점이 있다. 아주 오래전에는 냉장고가 없었을 텐데 어떻게 오이냉국을 시원하게 보관했지? 서빙고(서빙고는 예전에 냉장고가 없을 시절 얼음을 보관하던 곳이다.)를 사용했나? 그러면 서민들은 먹기 힘들었을 텐데…. 흠…. 그냥 미지근하게 먹었나? 그러면 오이냉국이 아닐 텐데…. 흠…. 진짜 궁금하다.

여담으로, 예전에 맛있는 닭갈비 식당에 가면, 시원하고 새콤한 오이냉국을 주었다. 하지만 요즘에는 물가가 올라서 그런지 엄마 말로는 요새는 오이냉국을 잘 안 준다고 한다. 나는 그 일이 일어났는지도 잘 모르겠다. 닭갈비 식당에서 오이냉국을 봤을지라도 기억이 없다. 애초에 내가 닭갈비 식당에 간 기억이 없다.

몇 년 전 내가 4학년쯤에, 우리 가족은 도시 텃밭을 분양받아 농사를 지었다. 그때 오이가 무럭무럭 자라고 풍년이어서 주변 사람들한테 나눠줄 정도였다. 그래서 집에서도 오이로 이것저것을 많이 먹었는데, 엄마 말로는 만든 요리 중 하나가 오이냉국이라고 한다. 나는 전혀 기억이 안 난다. 흠….

이야깃거리가 떨어졌으니 내가 할 말은 이제 단 한마디다. 바로!

끝!

여담으로, 5학년 때도 도시 텃밭을 잠깐 했는데, 그때 오이 농사는 망했던 것 같다.

2장 두둑하게

6화 영원 같은 기다림

　최근이라 하기 애매하고, 옛날이라고 하기에도 모호한 과거에 일어난 일이다. 마블의 팬으로써 가디언즈 오브 갤럭시 volume 3(이 영화에 관한 에피소드를 또 쓸 계획이다. 줄여서 가오갤3다.)의 개봉을 간절히 기다리고 있었다. 개봉일은 5월 3일이었다. 3, 4월에는 5월은 먼 미래 같아서 많이 간절히 기다리고 있진 않았지만, 5월 1일이 되는 순간 갑자기 가슴이 터질 듯한 기분이 되었다. 계속 머릿속에는 가모라(가오갤3의 등장인물)가 맴돌았다. 영화를 보기로 예매한 5월 5일에는 아침부터 영화를 보러 갈 시간이 몇 시간 남았는지 계속 시간을 측정하고 있었다.

　간절한 기다림은 주로 미래에 벌어질 굉장히 즐거운 일을 기다릴 때 생긴다. 대표적으로 학교 계단을 오를 때 7층에 도착하는 이 계단의 대장정이 끝나는 순간을 기다린다. 예시가 하나 더 있다. 바로 가끔 사정이 생겨서(주로 안과 가는 일이다.) 영어학원 가기 전에 식사를 하기 위해 맛있는 회덮밥집에서 오픈 시간을 기다리는 일이다.

　보통 회덮밥집 오픈 시간보다 10분 일찍 도착하는데, 그 시간 동안 속이 터질 것 같다. 마침내 회덮밥집 문이 열리면 입이 귀에 걸린 채 애피타이저로 제공되는 죽을 싹싹 먹고(몇 숟가락으로 바닥난다.) 메뉴를 기다린다.

그러면 이 이야기의 주인공 회덮밥이 나온다. 우선, 초고추장을 넣고 심심하게 밑간을 한다. 그다음 맛본 다음, 초고추장을 더 넣는다. 주로 이때 실수로 초고추장을 너무 많이 넣는다. 의도하지는 않지만, 대부분 쳇바퀴처럼 비슷한 일이 계속된다.

그다음 계속 회덮밥의 맛을 음미하며 우걱우걱 씹어먹는다.

그리고 중간에 가연이가(동생) 소중한 회덮밥을 한 숟가락 뺏어먹을 때 자기의 김치 우동을 먹어도 된다고 한다. 우선 나는 연어의 탱글탱글함과 초고추장의 새콤달콤한 맛을 음미한다. 그리고 한 숟가락, 또 한 숟가락 먹다 보면 배는 가득 차고 그릇은 비워진다. 아무리 배가 부를지라도 너무 맛있어서 그릇을 추접스럽지만 조금 긁어먹는다. 중간에 동생이 주문한 김치 우동을 최대한 듬뿍 퍼간다. 그리고 식사를 다 하고 나서 추접스럽지만, 후식으로 동생이 남긴 김치 우동을 먹는다. 맛있는 걸 어떡해! 그리고 엄마가 가끔 마끼를 시켜주는데 그것 역시 참 별미다. 마지막에 마끼를 피날레로 먹으면 포만감과 만족감으로 미소 짓게 된다.

병원 앞 초밥집 말고 회덮밥을 자주 먹는 곳이 한 군데 더 있다. 실제로 가본 적은 없다. 왜냐하면, 배달로 시켜 먹기 때문이다. 우리 가족은 여기서도 연어회 덮밥을 주문하는데, 이때도 내가 소스를 너무 많이 넣는다. 우리 가족은 모두 배달 회덮밥을 만족스럽게 먹는다.

예전에 아빠가 "나는 회덮밥 안 먹어."라고 말해서 3인분만 시켰는데 결국엔 아빠가 다른 가족들 것을 뺏어 먹었다. 그런데 정작 나는 이 에피소드는 기억이 안 난다. (또 엄마한테 들었다. 참고로 몇몇 에피소드의 출처는 엄마다.)

회덮밥은 주로 일식집에서 판매하는데, 사실 완전한 일식이라고 하기에는 모호하다. 회덮밥은 한식과 일식이 적당히 섞인 퓨전 요리라고 하는 것이 적합하다. 왜냐하면, 덮밥은 일식이지만, 회덮밥은 거의 비빔밥이랑 비슷하고 일식에서 비벼 먹는 음식이나 경우가 거의 없기 때문이다. 참 애매하다. 그러면 왜 일식집에서 파는 거지?

궁금해서 회덮밥의 역사에 대해 조사하다 보니 자료가 별로 많이 나오지 않았다. 대신 회덮밥의 재료와 조리 방법에 대해 한번 서술해 보겠다. 회덮밥에 들어가는 회로는 주로 참치, 연어, 상어 등이 쓰인다. 가끔 열빙어알이나 날치알도 사용되기도 한다. 그래서 그런지 내가 동생의 김치 우동을 정당한 거래를 통해 먹는 회덮밥 식당에서는 알 덮밥도 함께 판매한다. 그리고 만드는 방법은 두구두구!

1. 회를 뜨거나 사 와서 준비한다. 1인분에 10점 정도가 적합하다.
2. 함께 먹을 채소(주로 오이, 상추, 당근 등등)를 채를 썬다.
3. 밥 위에 손질한 회랑 채소를 올린다.
4. 소스는 초고추장을 사용하거나 초장을 만든다,
5. 초장은 고추장 밥수저 3T, 식초 밥수저 1.5T, 설탕 밥수저 1T 를 넣고 섞는다. 또는 시중에 판매하는 것을 사용해도 좋다.
6. 맛있게 비벼 먹는다.[13]

분명 회덮밥 전문점은 더 좋고 훌륭한 레시피가 있겠지만, 이건 좀 단순하게 해서 작성했다. 그리고 전문점의 레시피는 숨겨져 있을 수도 있다.

　이렇게 맛있는 회덮밥을 모르는 사람도 은근히 많다. 이틀 전에 내가 친구들에게 회덮밥에 대해 말했는데, 모르는 친구가 있었다. 그래서 장난기 많은 친구가 회덮밥은 회를 갈아서 만든 아기 이유식이라고 말했는데 모르는 친구는 당연히 안 믿는 눈치였다. 나라도 믿지 않을 것 같다. 회를 갈아서 만든 아기 이유식이라니 웩! 입에서 뭔가 올라오는 것 같다.

　회덮밥은 당연히 아기 이유식이 아니지만, 정말 정말 맛있다. 게다가 회덮밥에 대해 글을 쓰고 있으니까, 회덮밥이 먹고 싶어진다. (사실 글을 수정하고 있는 지금도 회덮밥을 먹고 싶다.)

끝!

7화 다 비빔면
너 때문이야!

오늘 아파트 물놀이터에 다녀왔다. 가서 신나게 놀고 라면을 먹으러 갔는데, 나는 불닭볶음면을 골랐다. 내가 이 라면을 고른 이유는 저번에 물놀이터에 가서 라면을 먹을 때, 친구들이 불닭볶음면을 많이 먹길래 그다음 날 나도 한번 먹어봤다. 그런데 이런 너무 맛있었다!

사람들이 맛있다고 하는데 내가 지금까지 불닭볶음면을 먹지 않은 이유는 다 비빔면 때문이다. 그 이유는 나에게 비빔면은 소중한 존재이기 때문이다. 새콤, 매콤, 달콤(아닌가?)이 시원함과 어우러져 환상적인 맛이었다. 이 맛을 너무 좋아하다 보니 매콤함과 뜨거운 정도까지는 아니어도 차갑지 않은 불닭볶음면에게 호감이 가지 않았다.

나한테는 비빔면은 진짜 진짜 맛있다. 어느 주말에 비빔면을 점심으로 먹으면 진짜 행복하다. 그리고 추접스럽지만, 동생이 뺏어 먹을까 봐 최대한 빨리 먹는다. 후루룩, 후루룩.

맛있는 맛도 종류가 다양하다. 비빔면은 그중 하나인 매운데 맛있는 맛을 소유하고 있다. 이상하게도 매운 것은 멈추면 더 맵다. 비유하자면 겨울에 차가운 물을 맞는다고 가정하면 물을 맞을 때도 춥지만, 물을 맞고 나서 더 추운 거라고 생각할 수 있다. (은근 뭔가 있어 보인다.)

3, 4학년 때는 나는 이 중요한 사실을 알지 못했다. 그래서 비빔면 때문에 고생을 많이 했다. 그때는 매운 것을 잘 먹지 못해서(아직도 그렇다. 저번에 불닭볶음면을 먹을 때 양 조절을 잘못해서 엄청 맵게 먹었다. 그래서 불닭볶음면을 산 돈보다 불닭볶음면의 매운맛을 중화시키기 위해 쓴 돈이 더 많다. 그래도 생마늘은 먹을 수 있다.) 나에게 비빔면은 엄청 매운 음식이었다. 그래서 비빔면을 먹으려면 엄청난 양의 물과 우유가 필요했다. 그러니 속이 좋지 않을 수밖에. 그래서 먹고 토하는 경우가 종종 있었다.

3, 4학년 때 내 속을 이렇게 아프게 했던 비빔면을 계속 먹은 이유는 너무 맛있어서 그렇다. 거기에다 아빠가 식초, 설탕, 깨, 골뱅이, 오이, 상추 등을 추가로 더해 주니까 너무너무 맛있었다. 내가 좋아하는 음식은 많지만, 비빔면은 그중에서도 열 손가락 안에 들어간다. 새콤하고 매콤함, 그리고 시원함의 조화는 나에게는 환상적인 존재였다. 게다가 꼬들꼬들한 면이 내 입 안에서 춤을 춘다. 윽! 그럴 리가 없지만, 오늘 급식은 비빔면이었으면 좋겠다.

그러면 이 맛있는 비빔면을 누가 어떻게 만들었을까? 비빔면을 최초로 만든 회사는 바로바로 유명한 팔도가 아니라 농심이다. 팔도는 1984년에 비빔면을 출시했고 농심은 1983년에 비빔면을 출시했다. 농심은 국물 라면 비수기를 공략해 차가운 비빔면을 출시했다. 그러나 반응은 긍정적이지 않았다. 그 이유는 무엇일까? 첫째, 너무 조리가 너무 번거로웠다. 국물 라면에 비해 너무 번거로웠다. 둘째, 농심의 비빔면은 가루 스프를 사용했는데 가루 스프가 양념의 역할에 실패했다. 그냥 집에서 만들어 먹는 비빔국수가 훨씬 더 저렴하고 맛도 좋았다.

이때, 팔도가 1984년에 비빔면을 가지고 등장한다. 라면계의 후발주자였던 팔도가 경쟁을 피하기 위해 초록 민밭의 클로렐라면, 참깨라면, 등 차별화된 라면을 내놓다가 그 연장선으로 비빔면을 내놓았다. (여담으로 팔도 비빔면은 가루 대신 액상 스프를 사용했다. 이 액상 스프를 개발하는 데 무려 2년이나 소요되었고, 전국의 유명 비빔국수 집들을 거의 다 찾아가며 개발했다고 한다.)

자세히 말하자면, 팔도 비빔면은 1984년 한국야구르트 회사에서 출시되었다. 곧 팔도는 위대한 도약을 했다. (팔도가 야구르트 회사에서 출시된 만큼 야구르트 아주머니들을 마케팅에 많이 이용했다. 자연스럽게 조리법과 맛을 알려주고 홍보 그리고 판매까지 했다.) 2012년부터는 계열사로 분리된 팔도에서 팔도 비빔면을 제조하고 있다. 출시 초기에는 여름 한정 제품으로 판매했지만, 1990년대 중반부터는 사계절 내내 판매하고 있다.[14] 나로서는 신나는 일이다!!

라면계에서 후발주자인 팔도는 비빔라면 시장에서는 선발주자다. 사람들이 비빔라면이라 하면 바로 팔도를 떠올리니까. 다른 회사들이 여러 가지 비빔라면을 출시하는데 팔도를 따라잡기 힘들 정도다.

그러나 초반에는 사람들이 생소한 조리법에 아주 낯설어했다고 한다. 그 이유는 비빔라면은 웬만한 라면 조리법과 다르기 때문이다.

팔도 비빔면 포장지 뒷면을 보면 정식 조리법은 이렇게 나와 있다.

1. 600ml 이상의 끓는 물에 면을 3분간 익힙니다.
2. 찬물에 면을 헹구고 물기를 뺀 후 스프로 비빕니다.
3. 오이, 양배추, 계란 등과 함께 드시면 더 맛있습니다.[15]

그러나 그 당시 사람들에게는 끓여 먹는 라면 조리법들이 더 익숙했다. 그래서 신라면처럼 그냥 끓여 먹거나 (비주얼이 정말 끔찍했을 것 같다.) 또는 찬물에 면을 헹구지 않고 먹는 경우가 많았다. 그래서 민원이 많았다고 한다. 아이고, 설명서 좀 읽지...

그럼에도 불구하고, 팔도는 지금 왕좌에 앉아있다. 앞으로 새로운 경쟁자들이 생길 테니, 팔도도 여러 상품을 내놓고 있다. 대표적으로 네넴띤, 팔도 BB면, 괄도 네넴띤(현재는 팔도 비빔면 매운맛이다. 야민정음을 활용했다) 또, 팔도 비빔장도 출시했다.

네넴띤은 35주년 한정판이다. 팔도 비빔면보다 5배 정도 더 맵지만 반응이 좋았다. 총물량 7만 5천 개 중 1주일 치 첫 물량인 1만 5천 개가 23시간 만에, 즉 하루가 지나지 않아 다 판매되었다. 반응이 좋은 만큼 정식 출시가 확정되었다. 이름은 팔도 비빔면 매운맛으로 변경되었다.

팔도 BB면은 화장품 브랜드 미샤(여담으로, 내가 가장 좋아하는 캐릭터인 완다 막시모프의 배우가 광고하는 브랜드다.)와 콜라보하여 비비크림을 사면 주는 한정판 라면이다. 편의점 또는 마트에서도 구매할 수 있다. 비빔면치곤 특이하게도 크림 스프 분말이 들어가서 매운맛을 중화시켜 준다. 그리고 팔도 비빔면과 달리 여름에만 출시

한다.

그리고 팔도 비빔장도 당연히 맛있다. 아빠는 비빔면을 먹을 때 골뱅이를 먹을 때, 소스가 부족하니까 팔도 비빔장을 추가하기도 하고 비빔밥 소스처럼 이용하기도 한다. 대표적으로 뽀시래기(해초다) 비빔밥을 먹을 때 비빔장으로 이용했는데 너무 맛있었다. 그래서 얼마 지나지 않아 다 먹었던 것 같다.

그나저나 여담으로 나는 얼마 전 갑자기 팔도 비빔면 컵라면을 먹고 싶어서 편의점으로 갔다. 그런데 이곳저곳 가봤지만, 단 한 군데도 팔지 않았다. 그래서 다음 날 저녁으로 맛있게 배홍동 비빔면을 먹었다. (집에 팔도는 없었다.)

끝!

8화 서울랜드
보다는 컵라면

얼마 전, 학교에서 운동회를 했다. 나한테는 4, 5년 만의 운동회여서 무척 설렜다. 그런데 우리 학교 운동장이 참가자들이 서 있으면 꽉 차서 운동회 할 공간이 남아있지 않아 무려무려 우리나라 최초의 학교인 배재학당을 이어 내린 배재 고등학교에서 운동회를 개최하기로 했다. 그런데 배재고 학생들도 운동장을 사용해야 하니까 우리 학교는 운동회를 토요일에 개최하기로 했다. 대신 월요일에 쉬기로 했다. 유후!

그래서 나는 월요일에 동생이랑 아빠랑 서울랜드에 가기로 했다. (아빠는 월차를 사용했고 엄마는 출근했다.) 나는 서울랜드에 4학년 때 한번 가봤는데, 그때 재미있었던 놀이기구와 무서워서 타지 못했던 놀이기구를 타는 게 목표였다. 가서 우리는 놀이기구를 26개나 탔다. 하도 많이 타서 몸이 그 감각에 익숙해졌는지 다음날에도 살짝 어질어질 거였다.

거기서 탔던 것 중에 가장 인상 깊었던 것은 바로 월드컵이라는 놀이기구다. 4학년 때 아빠가 같이 타자고 했지만, 너무 무서워서 타지 못했던 놀이기구다. 묘사를 좀 하자면, 회전 컵처럼 작은 탑승

기기들이 바닥에 붙어있는데, 회전 컵이 붙어있는 원판이 거의 60도에서 90도로 서고 빙글빙글 도는 놀이기구다. 내가 쓴 말인데도 나도 잘 이해를 못해서 한번 나무위키를 빌려보았다. 나무위키에서 월드컵이란 '커다란 원판 중앙에 거대한 축구공 모형이 있고 축구공 모형으로부터 문어발식으로 4인승 좌석이 10개 달려있으며, 원판이 상승과 함께 기울어지면서 돌아갈 때 좌석도 같이 회전한다.'라고 나온다.

어쨌든 나도 처음에 무서울까봐 덜덜 떨었는데 타보니 생각보다 별로 무섭지는 않았다. 빠른 속도로 내가 탄 좌석이 움직일 때, 나는 손잡이를 꽉 잡았다. (손을 놓을 용기는 나지 않았다.) 그러니까 약간 운전을 이상하게 하는 미치광이 운전수 같은 느낌이 난다. (내가 봐도 이상한 표현이다.)

그리고, 월드컵은 직원이 말하길 한번 탈 때, 전반전과 후반전으로 나눠 운행하는데, 후반전은 전반전이 돌아가는 방향과 반대로 돌아간다. 보통 놀이기구가 내려갈 때가 되면 좀 무서워서 긴장하는데 전반전은 긴장하다 보면 내가 탄 기기는 다 내려가 있다. 후반전은 정반대다. 긴장도 끝나고 곧 내려가야 하는데 시간이 너무 느리게 간다. 내 생각엔 도는 방향의 차이 같다.

내가 또 인상 깊게 탄 놀이기구는 킹 바이킹이었다. 잘 조사해보니 무려 84인승이고 두 번째로 국내 최대 규모라고 한다. (만들었을 당시에는 국내 최대 규모라고 한다.) 내가 타본 바이킹 중 최대는 어린이 대공원 바이킹의 맨 뒷자리 정도인데, 갑자기 어마어마한걸 타니까 너무 긴장되었다.

그래서 처음에는 거의 가운데 자리에 탔다. 그런데 내 기준에는 어린이 대공원 바이킹의 맨 뒷자리보다는 서울랜드 킹 바이킹의 거의 가운데 자리가 더 무서웠다. 높이가 최절정에 달하면 내 느낌상 거의 수직으로 올라간다. 그러면 심장이 반쯤 쿵 내려앉고 모든 게 슬로우 모션으로 돌아간다. (나는 가끔 소설에서 모든 게 다 슬로우 모션으로 돌아갔다는 말이 나오면 믿지 않았지만, 그런 일이 실제로 발생할 수 있다는 것을 경험했다.) 그리고 삐죽 튀어나온 머리카락이 뒤로 넘어가며 마치 완다(마블 시네마틱 유니버스의 캐릭터다. 날 수 있는 염력을 가지고 있다. 내가 가장 좋아하는 캐릭터다, 이 캐릭터 덕분에 내가 마블에 빠지게 되었다.)가 된 느낌이 든다. 그리고 어마어마한 속도로 아래로 내려간다. 이게 반복이 되자 내 몸과 마음도 적응했는지 나는 점점 타는 자리를 끝에 가깝게 이동했고 결국 마지막에는 맨 뒷자리보다 한 칸 앞에 탑승하게 되었다. 그 뒤에는 타고 싶었지만, 너무 추워서 타지 못했다.

이런 식으로 놀이기구를 대략 26번 정도 탔다. 서울랜드에서 기억에 남는 것은 놀이기구 말고도 있다. 바로 점심으로 먹은 컵라면과 김밥이었다.

서울랜드 가는 날 아침에 아빠는 부지런히 기본 김밥과 치즈 김밥을 싸셨다. 그걸 아침으로 먹고 기분 좋게 출발하고 몇 개는 점심으로 포장했다. 정말 정말 맛났다.

또 컵라면은 서울랜드 내에서는 팔지 않아 아빠는 직접 컵라면을 사서 보온병 4개에 팔팔 끓인 물을 가득 담아 배낭에 넣어 가져갔다.

그리고 점심 먹을 시간이 되자 주차장으로 나가서 넣고 다니는 의자와 책상을 펼치고 맛있게 먹었다. 그러니까 내 기준에는 평소에는 김치 맛이 잘 느껴지지 않았던 컵라면이 김치 맛이 생생하게 느껴졌다. 평소에는 씹히지 않던 김치 블록이 아삭아삭 씹혔다. 내 기억 속 가장 맛있는 컵라면이었다. 크으으으! 아니 가장 맛있는 라면이었다!

나는 가끔 주변인들한테 봉지라면이 더 맛있는지 컵라면이 더 맛있는지 묻는다. 그런데 어른들은 대부분 봉지라면을 택했고 동생과 내 친구들은 대부분 컵라면을 택했다. 흠... 나도 컵라면이 좋긴 하다.

그러면 내 또래가 이토록 좋아하고 맛있는 컵라면 중 내 최애는 바로 왕뚜껑 김치맛이다. 원래는 육개장 사발면은 좋아했는데 하도 많이 먹으니 조금 질려서 김치 사발면으로 갈아탔다. 그리고 얼마 뒤 김치 사발면도 하도 먹어서 질려서 왕뚜껑 김치 사발면으로 환승했다. 그리고 얼마 뒤, 반 친구들이 먹는 것을 보고 불닭볶음면 역으로 이동했다. 그래서 지금은 불닭볶음면과 왕뚜껑 김치맛으로 왔다 갔다 하고 있다.

그럼 내가 이렇게 좋아하는 컵라면은 누가 만들었을까? 조사를 좀 해봤다. 보니 사발면(컵라면)을 발명한 사람은 대만 사람으로 오백복이다. (최초라고 하기엔 좀 애매한 게 라면은 원래 중국에서 전투 시 비상식량으로 사용된 것이 유래다.) 오백복은 2차 세계대전 이후 일본으로 건너가 개명하고 '니신'이라는 작은 소금회사를 차렸다. 그는 여러 일을 통해 1958년 세계 최초로 인스턴트 라면을 개발했다. 원래 초기의 라면은 양념이 면에 더해진 형태였지만 이후 1962년에 스프가 분말 형태로 바뀌었다.

니신은 1970년도에 미국에 라면 공장을 건설하고 본격적인 미국 진출을 시작했다. 그런데 오백복은 미국인들이 라면을 종이컵에다가 게다가 포크로 먹는 충격적인 모습을 발견한다. 그것에 영감을 얻은 오백복은 1971년에 컵 모양의 폼 그릇에 담긴 최초의 컵라면을 탄생시킨다.16)

뜨거운 물만 부으면 완성되고 설거지도 없어 간편하고 게다가 저렴하고 배도 두둑이 채워주는 컵라면은 초대박이 되었고 연간 300억 개 남짓이 소비되고 있다.17)

한국에는 삼양식품이 일본에서 라면 제조 기술을 배워 와서 즉석 삼양라면을 처음 선보였다. 당시 삼양은 콩기름을 팔았는데, 전중윤 회장은 콩기름이 구호물자로 들어와서 사업하기 어려워서 라면 사업을 계획했다고 한다.

처음에는 삼양에서 출시한 우리나라 최초의 라면은 일본의 치킨라면 조리법을 가져와 만든 것이어서 사람들이 그다지 선호하지 않았다고 한다. 그래서 스프의 맛을 바꿨고 대히트를 쳤다.18)

그러면 이 300억 개의 컵라면을 포함한 라면들은 누가 먹을까? 한번 조사를 해 봤다. 조사를 하다가, 나는 충격적인 걸 발견했다. 그게 뭐냐면 베트남이 한국을 제치고 연간 1인당 라면 소비량이 가장 많은 국가가 됐다는 것이다. 보통 뉴스를 보면 한국이 연간 1인당 라면 소비량 1위라고 나오는데 베트남이 1위라니 참 놀랐다. 베트남의 연간 1인당 라면 소비량은 87개고 한국은 73개라고 한다.19) 흐음... 도대체 베트남 라면은 얼마나 맛있길래 그렇게 자주 먹을까?

나도 라면을 자주 먹기는 한다. 가끔 학교 갔다 와서 컵라면(먹을 수 있게 변신시키는데 스프 넣고 물 넣고 3분 기다리면 끝이어서 간편하게 먹는다.) 하나 먹으면 기분이 좋아진다. 어쩔 땐 먹다 보면 어느새 그릇이 바닥을 보이게 하는 짜장라면을 먹기도 하고 너무 매워서 배가 찌르르 아프고 입술이 따가운데 너무 맛있어서 계속 먹는 불닭볶음면을 먹기도 하고, 뜨겁고 얼큰한 국물이 목구멍을 타고 흘러 행복을 불러주는 국물 라면을 먹고, 어쩔 땐 새콤하고 매콤한 맛으로 내 혀를 사로잡는 비빔라면을 먹기도, 하고 달콤한 국물이 일품인 튀김 우동을 먹기도 한다. 크으! 지금 당장 글쓰기를 그만하고 뛰쳐나가 밤 10시에 컵라면을 먹고 싶다!

그래서 다음날 학교 갔다 와서 불닭볶음면을 먹었다. 크으! 이런 식으로 내가 나트륨 폭탄인 라면을 좀 많이 먹는 거 같아서 학교 갔다 와서 먹는 라면은 최대 일주일에 하나로 정했다. 라면은 거의 몸에 좋지 않으니까... 포장지 뒷면을 보니 하루의 나트륨 적정 섭취량의 대부분을 차지하고 있던데?

그런데 얼마 전 라면이 몸에 좋다고 말하는 사람을 발견했다. 바로 아까 컵라면을 최초로 개발하신 오백복이다. 이분은 2007년 96살의 나이로 생을 마감했다. 장수하신 오백복 씨는 자신의 건강 비결은 골프와 거의 매일 하나씩 먹었던 인스턴트 치킨 라면이었다고 밝혔다. 얼마나 치킨 라면을 자주 먹었냐면 돌아가시기 바로 전날에도 치킨 라면을 드셨다고 한다.

그래도 컵라면은 일주일에 하나씩 먹는 게 맞겠지? 흠... 맞아 맞아. 그리고 라면 생각은 하면 안 돼. 생각하면 먹고 싶어지니까...

끝!

여담으로, 비빔면과 라면 편에 이어서 한번 불닭볶음면 편도 쓰고 싶었지만, 시간이 없어서 쓰지를 못했다. 많이 아쉽지만 어쩔 수 없지...

9화 미역국과 나 그리고 머리카락

얼마 전, 친구들이랑 놀면서 이것저것 이야기를 하다가 머리카락에 관해서 이야기를 나누었다. 그러다가 한 친구는 6살 때까지 머리카락이 까까머리였다는 것이다. 그래서 엄마랑 목욕탕에 가는데 아주머니가 엄마한테 "애, 몇 살이에요?"라고 물어봤다고 했다. 이야기하는 친구의 엄마는 "여섯 살이요"라고 답하자, 그 아주머니가 "애 여탕 들어가면 안 돼요. 남탕 들어가야 해요"라고 했다고 한다. 즉, 남자인 줄 알았다는 것이다.

나는 그런 경험은 딱히 없었다. 왜냐하면, 엄마는 내가 태어날 때부터 미역처럼 긴 머리카락이 빽빽하게 자라있었다고 한다. 신생아실에 누워있는 아기 중에 가장 머리숱이 많고 길었다고 한다.

미역 머리를 하고 태어나서 그런지 미역국은 내가 가장 좋아하는 음식 중에서도 다섯 손가락 안에 든다. 그래서 급식에 미역국이 나오면 기분이 막 좋아진다. 미역국에 밥을 말아 김치랑 먹으면 크으으! 끝내준다.

학교 급식에 나오는 미역국은 깔끔하고 담백하게 끓이지만, 엄마랑 외할머니는 미역국을 깊고 구수하게 끓인다. 거기에 밥을 말아 먹으면 끝내준다. 밥을 말아 먹으면서 미역국을 맛있게 먹는 나의 방법을 찾았다.

우선 깍두기를 몇 개 말아먹는다. 오도독오도독 깍두기가 씹히면서 살짝 들어오는 미역국과 어우러진 김치의 맛이 끝내준다. 그리고 밥을 제외한 미역국의 건더기를 다 먹는다. 그다음 국물을 쭉 마신다. 숟가락으로 퍼먹지 않고 아저씨들이 막걸리 마시는 것처럼 그릇을 입에 대고 쭉 마시는 것이 포인트다. 마지막으로, 밥 알갱이들을 한곳으로 모아 숟가락으로 먹으면 별미가 따로 없다. 미역국의 맛과 향이 솔솔 올라온다. 갑자기 미역국이 먹고 싶어진다!

2화에서 언급했지만 나는 장으로 끝나는 양념을 참 좋아하지만, 엄마는 짜다고 별로 안 좋아한다. 사실 어느 날 집에 깍두기가 없어서 고추장을 넣어 먹었는데 은근히 맛있었다. 그 이후부터 미역국에 고추장을 넣어서 먹기 시작했다. 헤헤

그 후에 내가 미역국을 맛있게 먹는 방법이 바뀌었다. 우선 고추장을 뜨고 미역국에 밥을 4분의 3 정도만 만다. 그다음 국물에 고추장을 살짝 섞는다. 그리고 건더기와 국물과 밥알을 음미하면서 여유롭게 먹는다. 다음으로 밥알을 제외한 건더기를 먹고 국물을 시원하게 마신다. 그런 뒤에 밥알을 숟가락으로 퍼먹는다. 평소라면 식사는 여기서 끝났을 것이다. 그러나 이제는 미역국에 말지 않고 남은 밥과 고추장을 음미하며 식사를 마무리한다. 물론 그다음에 미역국을 한 그릇 더 먹지만….

미역국은 두 그릇이 기본이다. 심지어 나는 4그릇을 먹은 적도 있다. 학교에서는 한 그릇 먹지만…. 그 대신 급식을 받을 때 조금

더 많이 달라고 한다.

　이렇게 맛있는 미역국은 그럼 어디서 왔을까? 우선 미역국은 산후조리에 대표적인 음식이다. 엄마가 산후조리를 할 때 말로는 하루에 네 끼 정도는 미역국을 먹었다고 한다. 소고기미역국, 홍합미역국, 버섯 미역국, 조개 미역국, 미소(일본의 된장이다.) 미역국, 등등을 골고루 먹어보셨다고 한다. 미역국이 산후조리의 대표 음식이 된 이유는 고려 시대 사람들의 문헌에 '고래가 새끼를 낳은 뒤 미역을 뜯어 먹은 뒤 산후의 상처를 낫게 하는 것을 보고 산모에게 미역을 먹였다.'라고 적혀있었기 때문이다.[20]

　미역국은 산후조리 이외에 생일날에도 먹인다. 흠…. 이유는 잘 모르겠다. 아마도 자신의 출생 전후에 엄마의 양식이 되어주어서 그럴까? 아싸! 조사하다 보니 내가 아까 말한 게 정답이었다! 앗싸!

　그리고 중요한 일에는 미역국을 먹으면 안 된다는 미신이 있다. 미역이 미끄러운 것처럼 중요한 일에서 미끄러진다나? 하지만 나는 신경 쓰지 않고 중요한 날에도 미역국을 먹는데….

　우리나라 사람들은 미역국을 이처럼 정해진 날에 먹는 경우가 많다. 그러니 아까 언급한 대로 미역국의 종류도 다양하다. 그러니 종류가 많은 만큼 재료도 다양하다. 소고기(가장 대표적인 미역국이다.), 돼지고기, 닭고기, 멸치, 북어, 참치통조림, 생선, 게, 새우, 조개류, 성게, 고둥, 낙지, 표고버섯, 된장, 새알심, 옹심이, 가래떡, 햄 등등 다양하다.

　앞서 말한 대로, 우리나라 사람들은 미역국을 좋아한다. 조금 더 정보를 추가하자면 세계에서 우리나라 사람들만 미역국을 좋아한다.

외국 사람들 입장에서는 미역국은 그저 해초를 끓인 국이다. 이 책의 모티브가 된 '오무라이스 잼잼'에서 작가가 자녀들을 데리고 어떤 식당에 갔다. 그때는 아기들은 많이 어려서 집에서 만든 미역국밥을 먹였다고 한다. 그 식당은 외국인들이 많은 식당이었는데 그 외국인들 표정이 이렇게 말하고 있었다고 한다. "도대체 애들한테 뭘 먹이는 거야?!" 미역을 먹지 않는 외국인들 입장에서는 미역은 그저 해초에 불과하겠지…. 미역국을 섭취하는 사람은 대부분 한국인이다.

나는 미역을 좋아하는 우리나라 사람이라 지금 미역국을 너무 먹고 싶다. (보통 이런 문장이 나오면 내가 이야기를 끝낸다는 뜻이다.) 사실 나는 파자마 파티를 가기 전에 이 글을 쓰고 있는데 파자마 파티에서 미역국을 먹을 확률은 거의 0%지만 거기서 미역국을 먹고 싶다. 어! 이제 파자마 파티 갈 준비해야 한다! 그래서

10화 콩나물
국밥이 이상해

몇 달 전, 내 친구가 겨울왕국의 OST인 'Let It Go'의 마지막 가사인 "The cold never bothered me anyway"가 잘 들어보면 "콩나물국밥이 이상해."라고 들린다고 했다. 그래서 한번 집에 가서 노래 들을 때 들어보았더니 은근히 그렇게 들리긴 했다. 그리고 갑자기 콩나물국밥이 먹고 싶어졌다.

그러나 나는 개인적으로 콩나물국밥보다 김치 콩나물국을 더 좋아한다. 학교 급식에 김치 콩나물국이 나오는 날은 나에게 소소한 행복을 안겨준다. 아하핫! 뜨끈한 김치 콩나물국에 밥을 가득 말아 먹으면 내 배와 마음이 고속 충전기로 충전한 듯 빠르게 충전된다. 특히 오늘처럼(비가 오는 데다 나는 지금 감기에 걸렸다. 목은 아프고 코에는 콧물이 가득 찼다.) 몸이 으슬으슬한 날에는 더 기분이 좋아진다.

얼마 전, 아파트 커뮤니티에서 조식 서비스를 운영하기 시작했다. 그래서 우리 집도 주문했는데 첫날 배달온 국이 김치 콩나물국이었다. 나는 너무 맛있어서 두 그릇 먹었다. 꺼어억!

그러면 이 콩나물국은 어떻게 만들어질까? 그래서 우리 집에 위대한 요리사인 엄마한테 물어봤다. 엄마가 소개한 레시피는 이렇다.

1. 멸치, 새우 육수에 손질한 콩나물을 넣고 끓인다.
2. 간은 새우젓이나 참치액젓으로 맞춘다.
3. 겨울에는 국물에 김치랑 같이 넣고 끓인다.

여름에는 콩나물국을 냉장고에 넣어서 시원하게 먹는다.

흠... 아이구! 맛있겠다! 나도 콩나물국밥이 먹고 싶어졌다.

콩나물국밥의 기본 재료인 콩나물은 내 기준에는 강낭콩 다음으로 가장 키우기 쉬운 식물이다. 그런데 나는 콩나물을 한 번도 키워본 적은 없다. 그래도 콩나물은 재배가 쉬워 보였다. 뭐, 콩나물은 흙을 사용하지 않으니까 내 눈에는 그렇게 보였다. 그러면서 한번 인터넷을 뒤져보았다.

1. 콩을 물에 담가 3~4시간 불린다.
2. 구멍이 뚫린 그릇에 콩을 넣고 검은 천으로 덮는다.
3. 매일 4시간 간격으로 물을 충분히 부어준다.

흠... 3번이 좀 어렵군... 잘 재배하는 조건도 있었다.

1. 콩나물 재배 수온이 23도 이상이면 부패가 발생할 수 있어서 온도와 수온을 각각 20도 안으로 균일하게 유지하는 것도 좋다.
2. 3시간 간격 3분간 물을 주고 4일부터 2시간 간격으로 4분간 물을 주는 경우 → 무침용 콩나물로 적합하다.
3. 3시간 간격 3분간 물을 주고 4일부터 4시간 간격 4분간 물을 주는 경우 → 국거리용 콩나물로 적합하다.[21]

아까 내가 한 말은 취소다. 콩나물 재배는 전혀 쉽지 않다. 콩나물을 키워 볼까 했는데, 취소다. 그냥 내년에 강낭콩이나 키워야지...

앞으로 내 기준으로 키우기 제일 쉬운 식물은 강낭콩이다. 그냥 매일 저녁에 물만 주면 되니까...(그래도 쉬운 것은 아니다. 예전에 강낭콩에 매일 저녁 물을 한 대야 주었더니, 죽으려고 했다.)

내가 콩나물을 키워볼까한 이유는 콩나물무침이 맛있기 때문이다. 막상 집에서 먹으면 그다지 많이 먹지는 않지만, 이상하게 고깃집이나 김치찌개(내가 제일 좋아하는 한식이다. 이 음식은 엄청나게 훌륭한 분이 만든 게 틀림없다.) 식당에서 나오는 콩나물무침은 기가 막히게 맛있다. 빨리 음식이 나오길 기다리면서 따끈한 공깃밥 위에 얹어 먹으면 하얀 부분(내 생각에는 콩나물의 매력 포인트는 이 부분 같다..)은 톡톡 터지면서 맛있는 즙이 튀어나오면서 공깃밥 위에 사르르 스며든다. 노란 부분은 오도독 씹히면서 내 이와 혀를 즐겁게 해준다.

내 가족들도 나와 비슷한 맛을 느끼나 보다. 어느새 콩나물무침은 바닥을 드러내고 있다. (지금 문맥에 어긋나기는 하지만 고깃집에서 식사 전에 공깃밥이랑 먹기에 최고의 음식은 쌈장과 생마늘이다. 생마늘은 오도독오도독 씹혀서 맛있다. 생마늘과 쌈장은 매운맛의 느낌이 달라서 둘을 같이 먹으면 쌈장이 생마늘의 꽤 매운맛을 덮어서 기가 막히다.)

어쨌든, 콩나물무침은 너무 맛있다. 이걸 쓰다 보니 또! 콩나물 재배가 하고 싶어진다. 그럼 나는 아까 말한 대로 3시간 간격 3분간 물을 주고 4일부터 2시간 간격으로 4분간 물을 줘야 하나? (무침용) 아니면 3시간 간격 3분간 물을 주고 4일부터 4시간 간격 4분간 물을 줘야 하나? (국거리용) 흐으음... 너무 고민된다. 아니다 그냥 재배하지 말까? 어떻게 하지? 에라잇 모르겠다! (나는 그러면서 재배 안 할 것이 안 봐도 비디오다. 너무 귀찮다) (이 글을 쓴 지 꽤 지난 지금도 콩나물을 전혀 키우고 있지 않다.)

끝!

11화 나의 미라클

모닝의 상징

    며칠 전, 개인 사정으로 인해 학교에 일찍 갔다. (원래 이 글을 쓸 때는 밝히지 못했지만, 사실 학교 숙제를 안 해서 학교에 가서 하려고 했던 것이다.) 그래서 7시 15분에 일어나려고 했는데(나는 원래 7시 40분에서 45분 사이에 일어난다. 일어나서 술에 취한 사람처럼 헤롱헤롱 거린다.) 7시에 일어났다. 너무 일찍 일어나서 잠에서 깰 시간이 충분했다. 그래서 평소에 헤롱헤롱 거리면서 느리게 30분 동안 먹었던 밥을 2배 이상 더 빨리 먹었다. 그때 그 밥이 바로 날치알밥이었다.

    그 뒤로 저절로 내 눈은 7시에 떠진다. 그래서 앞으로 일찍 일어나서 30분 동안 책을 쓰기로 했다! 이 책은 써도 써도 끝이 안 보인다. (지금이 9월인데 반도 못 했다.. 까아아아악!)

    어쨌든 다시 날치알밥으로 돌아가서, 그때 정신이 팍팍 돌아가니까 입맛이 돈다. 그래서 평소에는 진짜 조금 먹고 그것도 남겼는데 그때는 두 그릇씩 먹었다. 꺼억! 날치알밥도 너무너무 내 혀를 춤추게 했다. 씹으면 날치알이 톡톡 터지고 김치와 단무지가 아삭 씹히며 가지고 있던 맛이 나온다. 으으! 듣기만 해도 먹고 싶다.

그럼 내가 너무너무 좋아하는 날치알밥은 어떻게 만들었는가? 우리 엄마와 할머니에 의하면

1. 밥을 잘한다.
2. 뚝배기에 참기름을 발라준다.
3. 부추, 맛살, 단무지, 양념한 김치를 썬다.
4. 뚝배기에 아까 손질한 재료들과 날치알을 듬뿍 넣는다.
5. 뚜껑을 덮고 약불로 10분 정도 저어주면 된다.
6. 그 다음 잘 비벼서 먹는다.

우리 엄마는 이렇게 만들었다고 한다. 이 날치알밥은 밥이 냉동 새우볶음밥 색과 같이 노르스름하고 날치알은 하얗다. 엄마한테 레시피를 어떻게 알았냐고 물어보자, 엄마는 한번 먹어보고 레시피를 추측하셨다고 한다. (역시 우리 엄마!)

내가 날치알밥을 많이 좋아하는 이유는 가끔 족발을 시켜 먹으면 함께 시켜 먹는 그 날치알 주먹밥 때문일지도 모른다. 정말 맛나거든... 그리고 굉장히 추접스럽지만, 동생이 더 먹을까봐 최대한 티 안 나게 빨리 먹는다. 아하핫!

도저히 아이디어가 떠오르지 않아서 이것저것 뒤적여 보다가 이 책의 모티브가 된 웹툰 '오무라이스 잼잼'에 들어가 봤다. 날치알은 생선알치고 좋은 가치를 부여받지 못한다고 나왔다. 생각해 보면 비싼 캐비어와 연어알과 청어알 등 다양한 알들에 비해 싸다고 한다. 경제학의 기본 원리에 따르면 가격이 싼 이유는 희소성이 낮기 때문이다. 그러면 날치알은 왜 널렸냐면 날치가 지나가는 길목에 볏짚단을 놓으면 수초로 착각하고는 알을 뿌린다고 한다.[22] 불쌍하

지만 맛있다...하하하

또 이것저것 뒤적여 보다가 흥미로운 정보를 발견했다. 시중에 판매되고 있는 날치알은 100% 날치알이 아니라 75% 빙어알, 25% 날치알이다. 그럼 그냥 빙어알이라고 파는 게 더 그럴듯하지 않을까? 비싼 재료명으로 팔면 좀 더 가격을 증가시킬 수 있으니 그냥 이름을 비싼 재료명으로 붙인다고 한다. 쩝... 뭔가 찜찜하다... (그런데 나도 날치알 판매업체의 입장에 있으면 나도 날치알이라고 한다음 팔 것 같다.)

나는 지금 아까보다 더 큰 시련이 남아있다. 바로 더이상 쓸 게 없다! 으아아악! 살려주세요!! 쓸 이야기가 없어서 너무 일찍 끝내서 죄송합니다.

끝!

여담으로 나의 미라클 모닝은 실패로 돌아갔다. 쩝... 어느날 늦게 잤는데 그 이후로 루틴이 깨졌다. 힝구. 그래서 그 이후로 다시 7시 40분에 일어났다. 오늘부터 7시 20분부터 친구들이랑 줄넘기하기로 했는데 비가 와서 비를 핑계로 그냥 7시 40분까지 다시 잤다.

또 여담으로 그 줄넘기 모임도 실패했다. 내가 온 날은 이상하게 아무도 안 와서 그냥 기다리다가 갔다ㅠ

그러다가 만나는 요일을 정했다. 화요일 목요일에 놀이터에서 만나기로 하고 안 나올 거면 10분 전에 통보하기로 했다. 10분 전에 통보하지도 않고 결석하면 출석한 사람한테 벌금을 500원씩 내기로 했다. 하루에 이자가 100원씩 붙는다.

그래도 애들은 계속 10분 전에 통보하고 안 나온다.

그래서 2연속 결석인 경우, 200원씩 내기로 했더니 드디어 조금씩 나온다. 얼마 전에는 이 모임을 시작한 지 약 한 달 반 만에 최초로 전원출석을 달성했다.

그리고 이자의 규칙도 100원씩 추가가 아니라 원금에 곱하기 2를 하기로 했다.

12화 이름이 많은 것의 알로 만든 젓

　가장 많은 이름을 가진 것! 이라고 누군가가 나한테 말한다면 나는 망설임 없이 "명태!"라고 외칠 것이다. 명태는 가장 용도가 다양하고 이름도 많다.

　대표적으로 얼린 명태인 동태, 가공하지 않은 생태, 내장을 꺼내고 말린 북어, 반쯤 말린 코다리, 잡아서 얼리고 말리는 것을 반복한 황태, 덕장에서 건조할 때 땅에 떨어져 상품 가치가 낮은 황태인 낙태, 어린 명태를 말린 노가리, 황태를 만들다가 질감이 잘못된 파태, 먹태깡으로 유명하고 황태를 만들다가 색이 변해버린 먹태, 건조 도중 머리가 떨어져 나간(얘기만 들어도 징그럽고 무섭다) 무두태, 1달 동안만 천막을 치고 건조 시킨 짝태, 얼지 않고 말라버리는 바람에 딱딱해진 깡태, 덕장이 너무 추워 하얗게 말라버린 백태, 새끼 명태인 애태, 내장을 빼지 않고 통마리로 만든 봉태, 성체지만 크기가 작은 왜태 등등이 있다. 이 외에도 다른 방언이나 호칭들도 많다. (황태를 만들다가 실패한 명태들이 많은 것 보니 황태는 만들기 힘든 것 같다.)

　그리고 사람들은 명태의 온갖 부위를 먹는다. 아가미로는 아감젓을 만들고 창자로는 창란젓(준말은 창난젓이다.), 그리고 알로는 내가 너무너무 좋아하는 명란젓을 만든다.23)

나의 명란젓 사랑은 1, 2학년 때 시작됐다. 어느 날 할머니가 밥상에 핑크색 무언가와 빨간색 무언가를 올렸다. 그래서 뭔지 한번 먹어봤더니 너무너무 맛있었다. 그 이후로 명란젓은 나의 좋아하는 음식 명단에 올라가게 되었다.

그때는 지금처럼 명란젓을 많이 좋아하지 않았지만, 어느 순간 보니까 나는 명란젓을 너무 좋아하고 있었다. 명란젓을 좋아하는 나는 명란젓의 조리도 좋아한다.

명란젓의 조리로는 명란 계란말이가 있다. 계란말이는 맛있지만, 명란이 들어가서 더 맛있다. 나는 으깨진(?) 명란들이 밑에 뭉쳐있는 것보다 큼지막한 명란이 중앙에 콕 박혀있는 것이 좋아한다. (명란이 중앙에 콕 박혀있는 것이 더 짜서 맛있다. 여담으로, 나는 짠 걸 좋아한다. 비밀이지만, 집에 아무도 없을 때 미소 된장을 조금 먹는다.) 예전에 학교에서 명란 계란말이가 나왔는데, 내 스타일이 아니어서 밑에 뭉쳐있는 명란만 퍼먹었다.

또, 알탕이 있다. 나는 개인적으로는 별로다. 예전에는 많이 먹었지만, 요즘에는 잘 먹지 않는다. 기본적으로 나는 그 국물을 별로 좋아하지 않는다.

그리고 아보카도 덮밥도 있다. 5학년 방학 때 엄마가 가끔 해줬는데, 밥에 명란젓, 나또, 아보카도를 넣어서 비벼 먹었는데 맛있었다. 난 특히 명란젓이 맛있었다.

아무리 맛있는 명란젓 요리가 있어도 내 최애는 항상 그냥 명란

것이었다. 그걸 자르고 거기에 잘게 썬 대파를 얹어 주시면 천하를 얻은 것처럼 행복하다. 그다음 한 조각을 집은 다음 밥에 얹고 한 입에 앙! 먹는 것이다. 짭조름한 명란젓의 맛이 내 혀 위에서 춤을 추고 그 자그마한 알 하나하나의 느낌이 내 입에 와닿는다. (명태야 미안.) 크으으으! 그리고 정신 차리고 보면 내 젓가락은 또 하나의 명란젓을 집고 있다.

내가 명란젓을 너무 좋아하니 명란젓은 내가 좋아하는 것 순위 1위를 기록하고 있다. 여담으로 2위는 날치알젓(처음에는 고추씨가 들어가서 매웠지만, 배추랑 밥이랑 먹으니 너무 맛있다.), 3위는 오징어젓갈, 4위는 새우젓(국밥집 가서 밥 위에 조금 올려 먹으면 너무 맛있다.) 이다. 어제 저녁에도 명란젓을 다 먹었다.

그러면 이 맛있는 명란젓의 조리법은 뭘까?

우선 명란을 구해온다. '쟈스민 푸드'에 의하면 이와 같다.

1. 물 1L와 소금(3T)을 준비한다.
2. 물에 소금을 녹이고 생 명란에 붓는다.
3. 살살 흩어가며 이물질을 제거하고 붙어있는 내장의 검은 실 같은 것을 제거한다.
4. 소금물에서 건져 물기를 제거한다.
5. 명란을 절일 소금과 비린내를 제거해 줄 청주를 준비한다.
6. 그릇에 명란을 깔아주고 켜켜이 소금(5T)과 청주(3T)를 뿌려 준다.
7. 뚜껑을 닫아 냉장고에 일주일 동안 숙성시킨다.
8. 명란을 살살 건져 물기를 제거한다.

9. 큰 믹싱볼에 매실청 3T, 양파청 3T, 고운 고춧가루 5T를 넣어 잘 섞어주고 곱게 다진 마늘 2T와 생강즙 1t을 넣어 양념장을 만든다. 10분 정도 놔둔다.

10. 명란을 넣어 양념을 바르듯이 골고루 묻혀준다.[24]

결과물은 내가 알던 분홍빛 명란젓과는 다르지만 한번 먹어보고 싶다. 아마도 사람마다 조리법이 조금씩 다른 것 같다. 아마도 전래 동화처럼 오래전부터 전해 내려오면서 조금씩 조금씩 바뀐 게 아닐까? (확실하지는 않다.)

그러면 명란젓은 언제부터 전해 내려왔을까? 19세기 말의 시의전 서에 명란젓이 등장한다. 그 이전 오주연문장전산고(조선 후기의 학 자인 이규경이 19세기 초에 만든 우리나라 전통 백과사전이다.)에 서 기록을 찾아볼 수 있다. 거기에 의하면 명태 주산지여서 명태를 많이 소비했던 함경도가 기원인 것으로 추정된다.

신기하게도 명란젓의 탄생지는 한반도인데, 그 옆 나라인 일본은 세계적으로 명란젓을 가장 많이 소비하고 있다. 일본에는 1949년에 소개되었다. 하도 오래전 일인지 이제 일본인들에게는 한국 음식이 라는 의식도 별로 없다. 그래서 명란젓이 일본 전통 음식이라고 아 는 한국인들과 일본인들이 많다.[25] 그래도 누군가가 좋아하니 됐 지!

13화 기억의
오류

　몇 달 전, 나는 주제 글쓰기를 위해 나의 어린 시절 일기를 보고 있었다. 그런데 나는 나의 1학년 일기를 보고 깜짝 놀랐다. 왜냐하면, 나의 기억 속의 일기와는 많이 달랐기 때문이다. 내 기억 속에는 그림은 예쁘고 단정했는데 그 정반대였다. 색칠은 삐죽삐죽 튀어나와 있었다. 그리고 눈을 삐뚤빼뚤하고 산은 파란색이었다. 그런데 글은 나를 또 놀라게 했다. 내가 생각한 기억 속의 글보다 1학년 치고 잘 썼기 때문이다. 이처럼 나의 추억은 기억 속에서 오류가 발생하는 경우가 있다.

　예시가 하나 더 있다. 나는 감귤바를 4학년 때 참 좋아했다. 감귤의 상큼하고 달콤함이 잘 담겨있었다. 그 맛은 정말 황홀했다. 나는 그 감귤바를 순식간에 먹어 치우고 아쉬움을 느끼곤 했다. 어쩌다 감귤바를 2년가량 먹지 않다가 최근에 다시 먹었다.

　그런데 나는 이것을 먹고 나서 크게 실망했다. 왜냐하면, 감귤 맛이 느껴지지도 않았기 때문이다. 뭐랄까, 맹물에 감귤 농축액 한 방울도 되지 않는 양이 빠진 맛이었다. 상큼함이 있긴 있었지만 뭐랄까 입에 스며들지 않고 약간 감귤 농축액과 물이 분리돼 얼린 맛이었고 감귤 맛도 느껴지지 않은 시시한 맛이었다.

기억의 오류일 수 있지만, 예전에 느꼈던 감귤바의 맛은 정말 황홀했다. 내가 감귤바에 끌린 것은 내가 귤을 정말 좋아하기 때문이다.

내가 귤을 좋아하는 것은 유전도 한몫한다. 엄마가 어렸을 때, 외할아버지와 외할머니가 작은 슈퍼를 했었다. 그때는 귤을 포장해 팔지 않고 낱개로 팔았다고 한다. 귤 상자는 통째로 다 열어놨는데 흠이 있는 귤을 판매할 수 없었다. 그래서 하루에도 수차례 엄마는 외할머니 가게에 들러 흠이 있는 귤을 먹어 치웠다고 한다.

그러던 어느 날, 엄마의 눈과 손바닥이 노랗게(샛노란 게 아니고 살짝 누리끼리한 정도다) 변했다. 외할아버지가 간이 좋지 않아서 황달 증세(간암이 증상으로 피부가 노랗게 변하는 현상)에 예민한 외갓집 가족들은 깜짝 놀랐다. 그래서 바로 병원에서 피 검사를 했다. 그 결과가 나올 때까지 엄마는 가슴을 졸였다. 피 검사 결과가 나오는 날, 의사 선생님이 엄마한테 "귤을 너무 많이 먹었죠?"라고 물었다. 다행히 귤에 들어있는 베타크립토산틴(이름이 어렵다.)에 의한 현상이었다. 귤을 너무 많이 먹어서 피부가 노란색으로 변한 것이다.

나도 엄마 못지않게 귤을 좋아한다. 내가 다니는 영어학원에서는 여름방학과 겨울방학만 되면 확장 수업이라며 1시간씩 수업을 더 하는데, 나는 그때 간식으로 귤을 싸간다. 작년 겨울에는 학원에 귤 8개를 싸가서 같이 다니는 친구와 수업 전에 귤을 하나씩 먹었다. 정말 맛있고 내 배의 공허함을 없애주었다.

집에서도 나는 다양한 방법으로 귤을 먹는다. 귤을 어떻게 먹냐면 나는 우선 귤을 깐다. 그리고 귤의 중심에 반지처럼 검지 손가락을 낀다. 그다음 하얀 것이 너무 많이 붙어있을 경우(10개에 하나꼴) 손바닥에 깐 귤을 문지른다. 그러면 귤 표면에 붙어있는 하얀 무언가가 꽤 많이 떨어진다. 물론 전부 떼지는 않지만, 일부는 떼어낸다. 빨리 먹고 싶으면 떼어내지 않고 먹는다. (여담으로 귤의 영양분은 그 하얀 무언가에 많다.) 나는 보통 귤을 반으로 갈라서 한 덩어리씩 먹는다.

나는 원래 귤을 한 조각씩 입에 넣었다. 그런데 2학년 때 급식을 빨리 먹고 가려고 귤을 반씩 넣었던 것 같다. 어떤 때는 반으로 가르지 않고 통째로 입에 넣고, 어쩔 땐 반 절씩 가른 다음 그 반들을 동시에 입에 넣기도 했다. (통으로 먹는 것이랑 먹는 양은 똑같지만 씹을 때는 도움이 된다.) 신기하리만큼 커다란 귤이 다 들어간다. 입은 생각보다 큰 공간이다. 2학년 때 그 사건 이후로 한 조각씩 먹으면 뭔가 많이 모자란다. 나는 귤을 반 절씩 먹었을 때 입 안에 꽉 차는 포만감이 좋다. 그러면 어마어마한 새콤, 달콤, 상콤함이 큰 파도처럼 빠르고 강렬하게 입안으로 밀려온다. 크으! 드디어 제법 멋진 말을 쓴 것 같다!(?) 유후!

역사적으로도 귤과 얽힌 재미있는 일화가 있다. 그중 하나는 조선시대 성균관 유생들이 귤을 더 많이 먹기 위해 몸싸움을 벌였다는 이야기다.[26] (아직 품위 있는 선비가 되기는 멀었군...) 아마도 조선시대에 제주에서 자라는 귤을 한양까지 옮기려면 꽤 많은 시간이 걸리고 상할 수 있어서 오늘날보다 훨씬 귀한 과일이었을 것이다.

게다가 귤은 중독성이 강하다. 하나를 먹으면 냉큼 또 다른 하나가 먹고 싶고 계속 먹다 보면 곧 바닥난다. 성균관 유생들은 귤에 중독된 게 아닐까?

귤에 관한 이야기가 하나 더 있다. 바로 정약용의 '여유당전서'를 보면 공물로 바치는 감귤에 대한 일화가 나온다. 해마다 음력 11월이 되면 제주에서 공물로 보낸 감귤이 한양에 도착하곤 했는데, 어느 날 음력 11월이 됐는데도 감귤이 도착하지 않았다.

한창 늦은 음력 12월이 끝날 때쯤, 감귤이 도착했다. 그 이유는 감귤꽃이 한창 피었을 때 태풍으로 감귤꽃이 다 떨어졌기 때문이었다. 제주 백성들이 너 나 할 것 없이 "공물을 바치지 않으면 임금의 은택을 저버리는 일입니다. 차라리 우리가 죽을지라도 감귤만은 열리게 해주십시오."라고 말했다고 한다. 다행히 세 그루의 나무에서 꽃이 피고 열매가 익었다. 많이 늦었지만, 가까스로 조금이나마 공물을 바칠 수 있었다.[27] (성균관 유생들은 귤이 적으니 더 싸웠을 것 같다.) 백성들의 힘든 사연이 임금에 대한 충성으로 포장된 이야기다. 거기에서 백성들의 절박함, 고통을 볼 수 있다. 나라면 분명 임금을 욕하며 나와 가족의 목숨을 걱정할 것이다. 그리고 태풍이 온 것을 원망할 것이다.

나를 포함한 많은 사람에게는 맛있는 귤이지만 그 당시의 제주도민들에게는 고통스럽게 공물로 바칠 귤이었나 보다. 성균관 학생들이 귤을 좋아하는 모습을 보면 당시의 제주도민들에게 조금이라도 위로가 되지 않을까?

그리고 귤을 이용한 요리도 무궁무진하다. 대부분 달콤한 디저트

류들이지만, 대표적으로 탕후루, 청, 잼, 주스, 에이드 등등이 있다. 그리고 내가 4학년 때 좋아했던 아이스크림까지.

사람들이 귤을 많이 먹는 것은 맛도 있지만 영양도 한몫하는 것 같다. 귤의 효능 중 하나는 감기 예방이다. 귤 속에는 비타민 C가 풍부하게 있어서 면역력을 높여 감기 및 다른 병들을 예방해 준다. 이게 대표적인 귤의 효과다.

다른 어려운 효과들은 가볍게 패스하고, 내가 아까 언급한 귤 겉면에 하얀 것은 '귤락'이라고 한다. 이 귤락에는 식이섬유가 풍부하다. 식이섬유는 대장 운동을 활발하게 해 변비 예방에 좋기 때문에 나처럼 귤락을 떼고 먹으면 이 효능을 다 놓치는 것이다.

심지어 귤껍질에도 영양소가 있다. 귤껍질에 함유된 헤스페리딘 성분은 항균 작용을 한다. 귤껍질에는 과육보다 2~5배나 많은 헤스페리딘 성분이 함유되어 있는데, 헤스페리딘 성분은 혈관 강화와 방광염 예방에 효과가 있다. 물론 이 영양분을 섭취하려면 귤껍질을 먹어야 한다. 과육처럼 우적우적 씹어 먹는 게 아니고 껍질을 깨끗하게 씻어 말린 뒤, 차로 끓여 먹거나 잼으로 만들어 먹으면 맛있게 섭취가 가능하다.[28]

이렇게 영양소가 많은 귤은 '다다익선'이라는 사자성어처럼 많이 먹으면 건강에 좋은 것처럼 보인다. 하지만 '과유불급'이라는 사자성어도 있듯이 적절한 섭취량이 정해져 있다. 대한영양사협회는 귤을 한번 먹을 때 1개만 섭취할 것을 권장하고 있다. 비타민C 섭취 측면에서 귤은 하루에 2개 정도 먹으면 적당하다고 한다. 하지만 그게 쉬운 일은 절대 아니다. 내가 귤을 한 번에 하나만 먹지 않고 한 번에 연달아 먹는 경우가 훨씬 많은 것이 그 근거다.

나는 귤을 좋아하는 만큼 귤의 친구들(?)도 좋아한다. 대표적으로 천혜향, 한라봉, 레드향, 금귤, 청귤, 오렌지 등등이다. 그중에 청귤이 제일 좋다. 최근에 엄마가 청귤 에이드를 많이 주문했는데, 얼마 지나지 않아 다 마셔 버렸다. 내가 하루에 3번 마신 적도 있다. 그다음 청귤 탄산수를 많이 샀는데, 내가 학교 갔다 와서 하루에 한 병꼴로 마셨다. 생각해 보면 생 청귤(?)을 먹어본 적은 없는 것 같다. 먹어봤어도 기억에는 없다.

결론적으로(내가 자주 쓰는 말이다. 이야기가 끝날 때쯤 쓰는 것 같다) 기억은 언제나 오류가 생길 수 있고 귤과 귤의 친구들은 맛있다. 그러니 이쯤에서

끝!

14화 책 속의

사이다

가끔, 책을 읽다 보면 책 속에 나오는 음식들을 너무 먹고 싶어질 때가 있다. 대표적으로, 5번 레인에 나오는 버블티가 있다. (뒤에 이것에 관한 얘기가 나온다.) 그리고 버블티와 같은 책에서 나온 사이다가 있다. 이상하게도 그 책에서는 사이다는 하나도 중요하지 않다. 그저 독자가 잘 기억도 하지 못할 스쳐 지나가는 문장에 있는 그저 단지 하나의 단어일 뿐이다. 그래도 너무 마시고 싶어졌다. 그 책도 내가 사이다를 콜라보다 더 좋아하는 데 도움이 된 것 같다.

사람들은 타인이 자신에게 어떤 단어를 이야기하면 저절로 이미지가 떠올린다. 나는 누군가가 나한테 맑고 투명한 것이라고 말한다면 내 머릿속에는 물도 탄산수도 아닌 사이다가 떠올려진다. 참이상하다. 그렇게 생각하면 이상하게도 참 사이다가 좋아진다.

또 다른 이유가 있다. 내가 얼마 전 어떤 잡지를 보고 있었는데, 거기에서 사이다가 몸에 좋은 것은 아니지만 콜라보다는 몸에 좋다고 했다. 그 글을 읽고 나서 나는 갑자기 콜라가 싫어졌다. (그래도 콜라는 벌컥벌컥 마시지만...)

이렇게 나는 사이다를 더 좋아하게 되었다. 그런데 내 5학년 때 선생님에 의하면, 외국에서 사이다를 달라고 하면 사과 맛 술을 준다고 한다. 그리고 사이다를 주문할 때 스프라이트와 같은 브랜드 이름을 말하는 것이 좋다고 한다. 정확히는 미국에서 'cider'는 알콜이나 탄산이 들어있지 않은 사과 음료로 'apple cider'라고 부른다. 영국에서 'cider'는 사과주를 의미한다.29) 앞으로 외국에서 사이다를 주문할 사람은 유의하도록 하자. 외국에서 미성년자가 'cider'를 주문하면 얼마나 놀라겠는가?

그러면 이 외국에서는 다른 의미인 사이다는 언제 한국에 들어왔을까? 사이다가 한국에서 처음 생산된 것은 일제강점기인 1905년 인천에서였다. 1905년 2월 일본인 히라야마 마츠타로는 인천 신흥동에 '인천탄산수제조소'라는 사이다 공장을 세우고 국내 첫 사이다인 '별표사이다'를 출시했다. 이후 사이다 공장은 이후 조선 각지에 세워졌다. 조선인도 이 청량하고 투명한 사이다를 좋아했는지 1922년에는 50만 병 정도가 소비되었다.

사람들은 건강한 맛도 추구하는 법. 그래서 일제강점기 특별한 사이다로 청주의 초정탄산수로 만든 사이다가 있었다. 초정탄산수(약수다. 우리가 마시는 탄산수가 아니다.)는 내수읍 초정리에서 나온다. 조선 시대 세종이 안질 치료를 위해 이곳에 행차하여 60일 정도를 머물렀다. 참고로, 초정탄산수의 약효는 물속에 포함된 다량의 라듐 성분 때문이다. 이 라듐 성분은 눈병 등 안질환뿐만 아니라 피부질환에도 효과가 크다고 한다.30)

시간이 흐르고 1950년대에 '칠성사이다'가 등장한다. 처음에 '칠성'이라는 이름의 유래는 창립 주주 7명의 성이 총 7종류여서 '칠성사이다'라고 지었다. 그리고 이후에는 밤하늘을 밝히는 북두칠성처럼 국내 음료업계를 빛내자는 소망을 담아 칠성으로 의미를 바꿨다고 한다. 약품이 넉넉지 않았던 때는 마시면 트림이 나온다고 하여 소화제 대용으로 쓰이기도 했다.

'칠성사이다'는 70년이 넘는 동안 계속 존재했고 존재하고 있고 존재할 것이다. '칠성사이다'가 그동안 걸어온 길을 살펴보면 1950년대에는 초록색 유리병으로만 생산되는 고급 음료였던 사이다는 점차 시간이 지나면서 페트병과 캔 등 다양한 모양으로 출시되었고, 1970년대에 이르러서는 누구나 쉽게 사 먹을 수 있는 대중 음료가 됐다. 그리고 2013년 말 기준, 누적 판매량은 185억 병이 되었다.[31]

내가 4학년 때인가, '칠성사이다'를 포함한 탄산음료 업계는 앞다투어 여러 가지 제로 음료를 내왔다. 그때 나도 한번 제로 호기심에 제로 음료를 먹었는데, 개인적으로 나한테는 설탕물 맛이 났다. (내 생각엔 내가 마신 탄산은 그냥 김이 빠졌던 것 같다.) 그 뒤로 다시는 제로 음료를 마시지 않았다. 그리고 엄마는 제로 탄산음료가 몸에 더 안 좋다고 말했다. 탄산음료에 단맛을 내기 위해 인체에 해로운 물질(대표적으로 아스파탐, 수크랄로스 등이 있다. 게다가 아스파탐은 발암 가능 물질로 지정되었다.)을 쓴다고 말했다. 그래서 마시지 않았다.

그런데 얼마 전 잡지를 보다가 일반 사이다와 제로 사이다, 일반 콜라와 제로 콜라를 끓였을 때의 결과를 읽었다. 일반 사이다는 설탕만 남았고 제로 사이다는 물을 끓인 것처럼 투명한 액체만 조금 남았다. 제로 콜라는 검은 색소만 남았고 일반 콜라는 달고나를 만들 때처럼 점점 꾸덕해졌다. 보니까 일반 탄산음료에는 엄청난 양의 설탕이 들어있었다.

그래서 정 탄산음료를 마시고 싶으면 제로 사이다를 마시는 게 좋을 것 같다. 아까 잡지에서 했던 실험처럼 제로 사이다는 설탕이 없다. 그러나 아까 말했던 대로 제로 탄산음료에 들어가는 아스파탐은 몸에 좋지 않지만, 식약처가 발표한 국내 아스파탐 섭취 수준은 일일 섭취 허용량의 1%에도 못 미치기 때문에 지나치게 걱정할 필요가 없다. 그리고 콜라에 들어가는 색소에 몸에 좋지 않은 물질이 들어가기 때문에 콜라보다 사이다가 인체에 덜 해롭다. 그래도 제로 사이다보다 더 좋은 건 당연히 물이다!

끝!

여담으로 5학년 때 학교에서 모히또를 만들었는데 라임과 민트를 넣고 거기에 사이다까지 넣었으니, 맛이 없을 리가 없었다. 집에 와서도 너무 맛있어서 사이다까지 사서 계속 마셨다. 지금 생각해 보면 나는 라임과 민트가 맛있어서 계속 마신 게 아니라 사이다가 맛있어서 계속 마신 것 같다.

15화 나의 바나나

텔레비전 습관

내가 오래전부터 이어온 습관이 있다. 바로 학교에 갔다 오면 무조건 손도 씻지 않고 텔레비전을 켜는 습관이다. 습관보다는 루틴에 가깝다. (손은 텔레비전 보는 중간에 씻는다.) 바로 텔레비전을 보다 보면 내 마음도 편해진다. 내가 아무리 바빠도 텔레비전은 적어도 10분은 바로 봐야 한다. (요새는 25분 동안 본다.) 최소 4년에서 최대 6년 정도 이어온 습관이어서 그런지 텔레비전을 안 보면 뭔가 좀 그렇다. 텔레비전을 보다 보면 학교에 갔다 와서 피곤한 내 몸이 싹 풀린다!

비유하자면 친구랑 밖에서 술래잡기하고 엄청나게 놀다가 차갑고 시원한 얼음물을 벌컥벌컥 들이키는 기분이랄까? (절대로 시원하다고 원샷하면 안된다. 얼마 전 원샷을 해봤는데 속도 울렁거리고 유약을 한 바가지 들이킨 기분이었다. 우웩!) 또 가끔 반신욕을 할 때 뜨끈하고 습한 공기에 숨이 막힐 때 들이켜는 물 한 모금이라고 해야 하나? 또는 샤워하고 마시는 바나나우유 같은 것이다!

이 바나나우유의 힘은 대단하다. 이상하게 샤워하고 마시면 달콤한 게 내 목으로 스며든다. 또 습한 공기로 덥고 답답했던 내 입을

완벽하게 치유해 준다, 솔직히 바나나우유가 없어도 차가운 물로 대체할 수 있고 또 나도 항상 샤워할 때마다 좀 답답하지는 않아서 크게 상관은 없다. 그래서 일 년에 손에 꼽을 정도로 샤워하고 마신다.

나는 바나나우유를 토요일 한 오전 11시쯤에 더 자주 먹는다. 왜냐하면 아빠가 이마트에 갔다고 돌아오는 시간이기 때문이다. 그리고 가끔 아빠의 손에는 뚱뚱한 바나나우유 4개가 들려있다. 나는 그래서 바로 뚱뚱한 바나나우유를 홀짝홀짝 들이킨다. 홀짝홀짝 마시다 보면 어느새 바나나우유는 바닥난다.

그럼, 이 바나나우유는 어떻게 만들어졌을까? 한번 조사를 해보니 바나나우유는 고급스러운 아이스크림 '투게더'가 등장하고 서울 지하철 1호선이 개통한 연도인 1974년에 탄생했다고 한다. 그때 바나나우유를 탄생시킨 이유는 바로 우유 때문이다. 1970년대 초반에 정부가 우유 소비를 장려했지만, 국민들이 흰 우유에 대해 거부감이 있었다고 한다. (내 생각에 국민들이 거부감을 느낀 이유는 우유가 바로 소젖이었기 때문인 것 같다. 생각해 보면 송아지의 모유를 훔쳐먹는 것이니까. 생각만 해도 역겹다. 그래도 우유는 맛있다.) 그래서 박정희 정부가 '국민들이 좋아할 만한 우유를 개발하라'라는 명을 내렸다고 한다. 그래서 당시에 고급 과일이던 바나나(지금은 싼 과일의 대명사이지만 그 당시에는 고급 과일이었다고 했다.)를 이용해 연노랑빛 바나나우유를 만들었다.[32]

당시 제품 출시 당시 개발팀은 바나나우유를 담을 용기를 당시 보편화하던 유리병과 비닐 등의 용기와 차별화할 수 있는 용기를 구상하기로 했다. 개발팀은 열심히 고민하다가 도자기 박람회에서 전통 달항아리를 보고 영감을 얻었다고 한다. 그래서 내가 좋아하는 뚱뚱한 바나나우유가 탄생했다. (여담으로, 이 달항아리를 닮은 디자인은 상자에 우유를 담기 적합하지 않다고 한다. 평범한 캔 모양이면 더 많이 담을 수 있는데 이 뚱뚱한 모양은 더 담을 수 없다고 한다. 엄마가 얘기해주었는데 확실하지는 않다. 100% 사실이라고는 믿지 마라.) (또 여담으로, 이 달항아리 모양이 인기여서 그런지 빙그레에서 출시하는 우유들은 대부분 달항아리 모양인 것 같다. 나무위키에서 제공한 사진만 봐도 16개의 우유가 달항아리 모양이다.)

이 용기를 생산하는 과정도 꽤 독특하다. 왜냐하면 이 용기를 만들 때는 윗부분과 아랫부분을 따로 제조하고 이 두 부분을 고속 회전시켜 발생하는 마찰열을 이용해서 접합하기 때문이다. (말만 들어도 머리가 핑핑 돈다.) 이 용기를 처음 만들던 당시에는 이런 기술이 한국에 없어서 독일에서 비싼 접합 장비를 들여와 만들었다고 한다. 그런데 현재는 그 독일 설비 제조사가 사라져 전 세계에서 이런 방식으로 용기를 만들 수 있는 회사는 빙그레뿐이라고 한다.[33] 오호호호

오늘은 여담으로 쓰고 싶은 내용이 많아서 좀 일찍 끝내려고 한다. 그럼

음식 18

여담으로, 바나나우유의 핵심인 바나나는 풀(바나나가 자라는 것은 풀이니까 줄기가 없다. 줄기처럼 보이는 것은 사실 잎이 빽빽하게 쌓인 것이라고 한다.)에서 자란다고 한다. 그런데 그 풀은 3m에서 10m까지 자란다고 한다. 허걱.

그리고 바나나라는 열매가 있으면 꽃도 있는 법! 아프리카에서는 바나나꽃은 삶거나 구워 먹는다고 한다. 동남아에서는 통조림으로도 나와 있다고 한다.

우리나라에서는 결혼할 때, 검은 머리 파뿌리 될 때까지라는 표현을 쓰지만 캄보디아에서는 "바나나 먹을 수 없을 때까지 오래오래 사랑하세요"라는 표현을 쓴다고 한다.[34] 하긴 바나나는 두부처럼 물렁물렁하니까.

또 여담으로 우리 집에서 약 4년 동안 내 방과후를 책임지었던 OTT 서비스를 더이상 보지 못하게 되었다. 너무 슬프다ㅠ

16화 청포도
사탕의 유혹

얼마 전, 학교에서 마니또를 뽑았다. 나는 내 짝을 뽑아서 도와주기 굉장히 편한 위치에 있었다. 나는 저번 1학기 때 선물을 받았을 때의 기쁨을 기억하며 마니또에게 자주 선물을 주고 싶었다. 그래서 마니또가 받고 싶을 것으로 추측되는 청포도 사탕 한 봉지를 사서 조금씩 조금씩 주었다. 또 이것저것 필기구와 츄파츕스도 사서 주었다. 그리고 마지막 날 청포도 사탕 한 봉지와 형광펜을 학교에서 몰래 포장하여 주려고 했는데 하필이면 어떤 애가 봐 버렸다. 나보고 장난스럽게 다 봤다고 말했다. 나는 비밀로 해달라고 했는데, 그 애는 내가 준 청포도가 탐이 난 모양이었다. 내가 선물을 준 애의 청포도를 자연스럽게 장난으로 가져갔다. 당연히 내가 선물을 준 애는 알아차렸고 이것저것 얘기를 하다가 내가 선물 주는 것을 본 애가 내가 선물을 준 애한테 자기는 네 마니또가 너한테 선물 주는 것을 봤다고 청포도 사탕을 조금 주면 선물 준 애의 마니또를 알려주겠다고 한 모양이었다. 그래서 나는 결국 청포도의 유혹 때문에 정체를 들키게 되었다.

내가 선물을 주는 것을 본 애는 청포도 사탕을 진짜 좋아하는 모양이다. 우리 반에는 간식을 사 먹을 수 있는데 그중 청포도 사탕은 최고 인기 상품이다. 나는 간식을 이것저것 많이 사긴 하지만 청포도 사탕은 가끔 호기심에 살 뿐, 청포도 사탕의 단맛을 별로 좋아하지는 않는다. 청포도의 상큼함을 따라가지 못한다고 해야 하나?

나는 청포도 사탕보다는 당연히 그냥 청포도가 좋다. 나는 그중에서도 특히 샤인 머스캣이 좋다. 한 입에 앙! 먹기도 쉽고 이가 청포도를 파고들 때의 그 느낌과 팡팡 터지는 과즙이 너무 좋다. 그리고 난 껍질의 촉감도 좋다.

그럼, 이 샤인 머스캣은 어떻게 만들어졌는가? 샤인 머스캣은 일본 농림수산성 산하 '농업식품산업기술종합연구기구'(이름이 엄청 길다.)의 과일나무 과학연구원(NIFT)에서 야키츠-21과 하쿠난을 교잡시켜 개발했다고 한다. (뭔 소린지 잘 이해가 안 간다.) 나는 잘 이해가 가지는 않지만, 결론적으로 유전학(?)을 이용해 내가 좋아하는 샤인 머스캣이 탄생했다.

샤인 머스캣에 관한 개인적인 사담을 하자면 이번 추석 연휴에 외할머니 집에 갔는데, 엄마 사촌(나는 한 번도 본 적이 없다.)이 곧 결혼을 한다면서 신랑이랑 외할머니 집에 왔다. 당연히 이야기 주제는 결혼이었다. 딱히 내가 끼어들 대화도 아니고 공감도 안되서 너무너무 지루했다. 그래서 음식으로 깔아둔 호두과자를 조금 먹는데 와구와구 먹으면 예의가 아니니까 더 먹고 싶었지만 조금만 먹었다. 그래도 샤인 머스캣은 엄청 크니까 티가 안 날거라고 생각해서 샤인 머스캣을 좀 많이 먹었다. 하하. 샤인 머스캣이 엄청 맛있게 느껴졌다.

또 청포도가 엄청 맛있게 느껴지는 순간이 있다. 정확히는 상상 속의 청포도가 엄청 맛있게 느껴진다. 즉, 청포도를 먹고 싶어진다는 뜻이다. 갑자기 청포도를 먹고 싶어지는 순간은 바로 이육사 시인의 청포도를 읽을 때다.[35]

청포도

내 고장 칠월은
청포도가 익어가는 시절

이 마을 전설이 주저리주저리 열리고
먼 데 하늘이 꿈꾸며 알알이 들어와 박혀

하늘 밑 푸른 바다가 가슴을 열고
흰 돛단배가 곱게 밀려서 오면

내가 바라던 손님은 고달픈 몸으로
청포를 입고 찾아온다고 했으니

아이야 우리 식탁엔 은쟁반에
하이얀 모시 수건을 마련해 두렴

솔직히 나는 이 시가 잘 이해가 안 되지만 마지막 부분에 오면 청포도가 먹고 싶어진다. 딱히 청포도에 대한 세밀한 묘사가 없지만, 너무 먹고 싶어진다. 주르륵 흘러나오는 과즙이 모시 수건(모시 수건이 어떻게 생겼는지는 잘 모르겠지만)을 적시는 것이 떠오른다. 크으으!!

나 같은 사람이 많은지 청포도는 포도 중 가장 인기가 많은 품종이다. 아마도 맛있기 때문인 것 같다. 또 영양이 풍부하기 때문인 것 같다.

청포도는 식이섬유가 풍부하여 변비에도 효과적이며 특히 폴리페놀, 안토시아닌이 풍부하여 콜레스테롤을 낮춰주며 골다공증에도 효능이 있다고 한다. 또 청포도의 알맹이와 껍질에는 폴리페놀의 일종인 타닌이 들어있다. 이 성분이 항산화 작용을 일으켜 노화 방지, 면역력 증진에 도움을 준다고 한다. 또 혈전 생성을 억제해 심장병과 동맥경화증 예방에 탁월한 효능이 있다. 게다가 정상세포가 암세포로 발전하는 것을 차단하고 이미 암세포로 변한 세포의 증식까지 억제하는 효능이 있다. 또 이것저것 다른 효능이 있다.

그럼 이렇게 영양이 많은 청포도를 어떻게 골라야 하느냐! 맛볼 수 있다면 아래쪽을 맛보고 구매하면 맛있는 포도를 고를 수 있다고 한다. 색이 황록색으로 착색되고 포도알이 균일한 것이 좋다고 한다.36) 흠... 아아익! 이제 정말 쓸 게 없다!! 으아아익!! 그래서

17화 나의
사소한 사치

소확행! 나에게는 소소하지만 확실한 행복을 주는 여러 사치가 있다. 그중 하나는 집 앞에 있는 떡볶이, 편의점의 나쵸(어느 날 갑자기 없어졌다. 그래서 이제 먹으려면 20분 정도 걸어서 있는 대형 마트에 가서 사야 한다.), 또 버블티가 있다.

버블티가 갑자기 소확행, 나의 사치 명단에 들어오게 된 사연이 있다. 내가 어느 날 5번 레인이라는 책을 읽다가 버블티가 잠깐 나왔다. 그 책을 너무 좋아해서 여러 번 읽었는데, 어느 날 유난히 버블티가 나오는 구간이 눈에 띄었다. 그리고 열심히 고민하다가 당장 집 앞에 있는 버블티 파는 카페로 달려가서 녹차 버블티를 구매했다. 그리고 베트남 푸꾸옥의 추억을 떠올리며 맛을 음미했다. 그때 그 버블티는 정말 맛있었다. 크으!!

오늘 이 이야기를 쓰기 위해, 녹차 버블티를 사 왔는데, 평소에 먹던 맛이 아닌 이상한 맛이 났다. 평소라면 한 방울도 남기지 않고 쪽쪽 빨아먹지만, 오늘은 반이나 남겼다. 약간 상한 맛이 나는 것 같았다.

버블티의 맛은 달달한 밀크티와 타피오카의 탱글탱글함과 쫄깃함이 합쳐진 참 혀를 춤추게 하는 맛이다. 크으의!

이 황홀한 맛을 가진 버블티는 누가 만들었고 언제 만들어졌을까? 버블티는 널리널리 퍼졌다.. 이후 점점 중국, 태국, 베트남과 같은 동남아시아 국가에도 소개되었다. 2000년대 이후 해외 대만계 유통경로를 통해 유입된 한국, 일본 시장에서도 인기를 끌게 되었다. 점차 미국, 뉴질랜드, 캐나다 등 서구권 국가에서도 인기를 끌게 되었다. 그다음부터 버블티는 누구나 인정하는 대만을 대표하는 음료가 되었다.[37]

생각해 보면 버블티는 단연 세계적인 음료다. 5학년 겨울방학에 가족이랑 같이 베트남 푸꾸옥에 갔다. (여행은 너무 즐거웠다지만 가는 길이 너무 힘들었다. 나는 멀미를 진짜 진짜 안 한다. 내 기억상으로는 한 번도 없었다. 그런데 가는 길에 비행기에서 토했다.) 어쨌든 푸꾸옥에서 그랜드월드라는 곳에 갔다. 그곳에서 매일 밤마다 맛있는 버블티를 한 잔씩 했는데, 너무너무 맛있었다. 버블티를 다 마시고 난 후에도 타피오카 펄을 쪽쪽 빨대로 빨아 먹었다. 그리고 엄마랑 아빠도 한국 카페와 대만에서 마셨을 때보다 덜 달다고 맛있게 먹었다.

나는 버블티의 고향인 대만에서도 버블티를 마셔봤는데, 기억이 하나도 안 난다. 아마도 벌써 4년 전이기 때문이고, 그사이 너무 많은 일이 있어서 비블티는 기억 저편으로 묻힌 것 같다.

다시 버블티의 역사로 돌아가서, 버블티가 세상에 나온 지 얼마 안 되었을 때로 돌아가 보자. 버블티는 티(tea)에서 알 수 있듯이, 다양한 차 또는 밀크티로 만드는 것이 일반적이었다. 그러다 점점 시간 지날수록 주스나 청량음료, 또는 스무디의 형태로 만드는 경우도 많아졌다. 그래서 티가 들어갈 뿐 새로운 형태의 버블티가 인기가 있다. 그래서 나는 버블티보다는 녹차라떼에 타피오카 펄을 추가해서 먹기도 한다. 내가 즐겨 가는 카페에는 수박 주스에 타피오카가 들어간 메뉴가 있다.

그리고 버블티의 모습이 달라져도 변하지 않는 단짝이 있다. 바로 타피오카 펄이다! 타피오카 펄은 모양도 식감도 참 신기하다. 그리고 어떻게 만드는지 전혀 짐작이 안 가서 조사해 보았다.

타피오카 펄은 우선 '카사바'라는 식물에서 시작한다. 카사바는 길쭉한 고구마처럼 생긴 덩이뿌리 식물이다. 열대지방에서는 주요 식량 공급원이라고 한다. 우선 카사바 뿌리에서 녹말을 추출한다. 이 녹말을 바로 타피오카라고 한다. (여담으로, 이 타피오카는 다른 식품의 양을 늘리거나 점성을 늘릴 때 사용한다. 술의 원료로도 쓰이곤 한다.) 그리고 냄비 안에 물 60g, 흑설탕 50g을 넣는다. 약한 불로 끓이다가 가장자리가 끓어오르기 시작하면 불을 끄고 타피오카 전분을 약간 넣어준다. 그다음 휘휘 젓다가 남은 타피오카 전분을 마저 넣고 또 섞는다. 도마 위에 반죽을 붓고 손으로 밀가루 반죽 치듯이 날가루가 안 보이도록 계속 반죽을 치고 주물러 준다. 다음으로 반죽을 동그란 구 모양으로 만들어 한곳에 모은 뒤 타피오카 전분을 살짝 뿌려 준다. 냄비에 물을 넣고, 중 불에 물이 끓어오르면 아까 만들어 둔 타피오카 반죽을 다 부어준다. 또, 잘 저어주는 것이 핵심이다. 타피오카 펄이 통통 불어서 물 위로 올라오면 약 불로 줄인 뒤, 20분간 끓인다. 20분이 지나면 불을 끄고 뜸을

들인다. 차가운 물에 한 번 샤워시키고 얼음물에 한 번 더 샤워시 킨다. 비로소 타피오카 펄이 완성된다.[38]

타피오카 펄은 다방면으로 영양이 풍부한 데다 저칼로리다. 게다 가 빈혈을 예방하는 효과가 있다.

난 별로 좋아하지는 않지만, 버블티의 단짝(?)이 하나 더 있다. 바로 얼음이다. 요새는 얼음이 너무 많다. 많이 넣어주어서 음료 양 을 불리려는 꼼수처럼 느껴질 때도 있다. 치! 얼음 빼달라고 하면 버블티를 더 줄려나? 흠... 고민해 봐야겠다. 어차피 얼음은 안 먹으 니까!

으! 버블티가 너무 먹고 싶다. 또는 나를 행복하게 하는 사소한 사치를 하고 싶다! 오늘은 떡볶이가 좋으려나?

18화 프로타고라스의
민트초코

내가 얼마 전 어떤 책을 읽었다. (뭔 이야기인지 잘 모르겠어서 원하는 부분만 골라 읽었다..) 거기에서 재미있는 이야기를 읽었다. 바로

고대 그리스의 철학자 프로타고라스에게 어느 날 한 청년이 찾아와 재판에서 이기는 방법에 대해 가르쳐달라고 했다. 그리고 공부를 시작할 때 수업료의 반을 주고, 수업이 끝났을 때 청년이 제대로 잘 배웠다면 나머지 반의 수업료를 주기로 했다. 그다음 두 사람은 공부를 시작했다.

시간이 지난 후, 프로타고라스는 공부가 끝났다며 수업료의 나머지 반을 요구했다. 그런데 청년은 자신이 잘 배우지 못했다며 수업료의 반을 낼 수 없다고 했다. 두 사람은 티격태격 싸우다가 결국 재판까지 받게 되었다.

재판장에서 프로타고라스가 먼저 말했다.

"나는 이 재판에서 이기든지 지든지 청년에게 돈을 받을 것이다. 왜냐하면 만약 내가 이기면 재판에서 이겼기 때문에 돈을 받아야 한다. 만약 내가 진다면 청년이 재판에서 이기는 법을 잘 배웠음을 증명하는 것이므로 청년에게 받기로 한 수업료의 절반을 받아야 한다."

청년도 질세라 다음과 같이 말했다.

"나는 이 재판에서 이기든지 지든지 프로타고라스에게 돈을 주지 않을 것이다. 왜냐하면 내가 이기면 재판에서 이겼기 때문에 돈을 주지 않아도 된다. 만약 내가 진다면 프로타고라스가 나에게 재판에서 이기는 법을 잘 가르쳐주지 못했다는 사실을 증명하는 것이므로 수업료의 절반을 줄 수 없다."[39]

나는 이 글이 어려워서 여러 번 반복에서 읽었다. 그리고 밑줄 친 문장에 한 번 주목해 보면 이 문장은 프로타고라스의 의견을 뒷받침하는 동시에 청년의 의견도 뒷받침하고 있다.

이런 경우는 참 애매하다. 바로 뭐랄까 서로 반대되는 것을 동시에 뒷받침하는 의견의 존재를 예로 들 수 있다.

이런 경우가 하나 더 있다. 바로 민트초코다. 민트초코는 사람들에게 종종 논쟁을 불러일으킨다. 우리 가족은 모두 민트초코를 좋아한다. 그런데 민트초코를 싫어하는 사람들은 민트초코가 치약 맛이 난다며 싫어하는 경우가 대부분이다.

나도 민트초코가 치약 맛이 난다는 것은 인정하지만 나한테는 민트초코에서 치약 맛이 나는 것이 장점이다. 상쾌하잖아! 민트초코에서 치약 맛이 나는 이유는 치약에 민트가 들어가기 때문이다.

내가 민트초코를 좋아하는 이유는 내가 많어 살짝 치약을 좋아하기 때문이다. 어렸을 때(기억이 나지 않지만)부터 나는 일찍 어른 치약으로 갈아탔다. 달짝지근한 어린이 치약이 싫었다.

그리고 나는 치약 먹는 것을 좋아했다. 뭐, 밥처럼 퍼먹었던 것은 아니고, 펌핑 치약을 조금 짜서 먹었다. 아마도 2학년 때쯤으로 기억하고 있다. 그 맛이 은근히 좋아서 몰래 먹었지만 자주 먹지는 않았다. 먹은 날을 손에 꼽을 수 있다.

그런데 어느 날 2학년 때, 내가 학교에서 미세 플라스틱에 대한 영상을 봤다. 나의 불안감을 어마어마하게 자극하는 영상이었다. 그런데 치약에 플라스틱이 들어있다는 충격적인 사실을 배우고 불안해졌다. 물론 치약을 먹을 때 나도 치약이 몸에 좋지 않으리라 생각했지만, 플라스틱까지는 아니었다.

게다가 미세 플라스틱이 인체에 미치는 악영향까지 보니! 헉! 그 뒤로 다시는 치약을 먹지 않았다. 그 대신 예전부터 좋아했던 민트초코를 훨씬 더 좋아하게 되었다.

나는 여름에 아이스크림을 많이 사서 냉동실에 가득 넣는 것을 좋아하는데 반드시 사는 아이스크림들이 있다. 그중 하나는 바로 슈퍼콘 민트맛(동생이 그것을 먹다가 이빨이 빠졌다.)이다! 그건 2018년에 출시된 것인데, 그때부터 지금까지 내 최애 아이스크림이다. (입맛이 변해서 그런지, 지금은 좀 단 것 같지만.)

나의 사랑(너무 표현이 이상하나?), 민트는 그리스 로마 신화의 하데스의 신화에서 유래되었을 가능성이 있다. 하데스가 누구냐면 그리스 로마 신화에서 신들의 왕인 제우스의 형제이자, 저승의 신이다. 하데스는 자기 남매인 데메테르(곡식과 수확의 여신이다. 제우스의 남매다.)의 딸, 페르세포네랑 결혼하려고 그녀를 납치했다.40)

납치는 결코 윤리적인 방법이 아니다. 그런데 하데스는 납치해서 결혼한 페르세포네를 두고 바람을 피우기 시작했다. 그 상대는 바로 요정 멘테(Menthe)다. 세상에 영원한 비밀은 없다는 것을 증명하듯 페르세포네는 곧 이 관계를 알아차렸고, 멘테를 풀로 만들어 버렸다. (페르세포네는 여신이니까.) 이쯤 되면 알겠지만, 그 풀이 바로 민트다.

멘테와 관련된 일화가 하나 더 있다. 지옥에 흐르는 코키토스강의 신의 딸인 멘테가 있었다. 멘테는 저승에서도 아름답기로 유명한 요정이었다. 페르세포네가 자신을 납치한 하데스에게 호감을 느끼지 않아서일까, 하데스는 요정 멘테와 사랑에 빠지게 된다. 즉, 멘테와 바람을 피웠다. 아까 말한 것처럼 영원한 비밀을 지키기는 힘들다. 때마침, 바람피우던 장소에 나타난 페르세포네가 화를 내자 하데스는 멘테를 보호하기 위해, 그녀를 식물의 모습으로 바꾸었다. 화가 난 페르세포네가 그 식물을 짓밟았다고 한다.41) (왠지 하데스의 납치에 대한 개인적인 감정이 있었을 것 같다.)

아마도 멘테가 번식을 했거나, 멘테가 여러 명이었거나, 멘테의 후손 중에 돌연변이가 많았나 보다. 종류는 무려 페퍼민트, 스피어민트, 페니로열민트, 캣민트, 애플민트, 보울스민트, 오데콜론민트, 라벤더민트, 오데코롱민트, 파인애플민트, 오렌지민트, 진저민트, 바나나민트, 레몬민트, 그레이프 프루트민트 등이 있다. 주로 사람들은 페퍼민트와 스피어민트 등을 애용한다.42)

페퍼민트는 지중해 연안에서 나오는 서양 박하다. 정유에 포함된 유리멘톨이 동양 민트보다 적지만 향미가 월등하고 쓴맛도 적다. 페퍼민트에서 오일을 생산하고, 상쾌하다.

스피어민트는 유럽에서 재배하는 서양 박하로 동양 박하나 페퍼민트와는 다르다. 달콤하고 상쾌한 향이 강하다. 민트 시럽의 원료가 되고, 고기 요리에 주로 쓰인다.

민트는 이곳저곳에서 활용되었다. 그중 민트가 주로 먹는 용도로 활용된 곳은 차(마시는 것)의 나라 영국이다. 민트는 1750년에 재배되었고, 페퍼민트 차를 포함해 사용한 민트 향에 매료되는 사람이 많아졌다. 아빠가 영국 음식은 정말 맛이 없다고 하는데 어떻게 이렇게 맛있는 민트 차를 탄생시켰는지는 잘 이해가 안 되지만, 뭐 항상 예외는 있는 법이니까...

본론으로 돌아가서, 당시 영국은 식민지를 넓게 개척한 해가 지지 않는 나라였다. 우수한 나라 영국이 민트에 매료되자, 민트는 전 세계적인 사랑을 받게 된다. 그래서 그럴까? 엄마도 민트차를 좋아한다. 엄마는 오전에 일을 마치고 오후 시간에 회의할 때, 차를 마시며 회의를 한다고 하신다. 다른 분들은 대부분 아메리카노를 마시지만, 엄마는 그 시간에 아메리카노를 포함한 커피를 마시면 밤에 잠이 안 온다고 겨울에는 민트차, 여름에는 아이스 민트차를 마신다고 하신다. 그러면 양치를 한 것처럼 입 안이 개운해지고 허브 향이 주는 약간 건강한 향이 주는 느낌이 좋다고 하신다.

민트차를 사랑하는 사람도 있겠지만 뭐니 뭐니 해도 민트의 하이라이트는 민트초코에서 드러나는 것 같다. 민트차도 훌륭하지만, 나는 민트초코가 더 좋다!

그러면 민트초코의 탄생은 어디서 왔고, 왜 탄생했는가? 이 답은 또 영국에 있다. 그것도 1973년, 왕실에서 시작되었다. 당시에는 앤 공주와 마크 앤서니 피터 필립스 씨(이름이 참 길다.)와의 결혼식이

준비 중이었다.

여기서 잠깐! 앤 공주가 누구냐면 나무위키에 의하면 앤 공주는 '영국의 공주. 엘리자베스 2세와 에든버러 공작 필립의 3남 1녀 중 둘째이자 장녀이다.'라고 나와 있다. 풀네임은 앤 엘리자베스 앨리스 루이즈다.

결혼식에 쓰일 디저트를 공모했는데, 무수히 많은 참가 작품 중에 우승한 디저트는 바로 민트초코가 아니라, 민트 로열(Mint Ryale)이다. 두둥!

민트 로열은 마릴린 리케츠라는 분이 제작했는데 그는 민트 추출액과 초콜릿을 결합하여 만들었다. 이것이 오늘날의 민트초코가 되었다. 흐흐흐! 정말 행복하다! 앤 공주님과 마릴린 리케츠님 감사합니다!

그리고 내가 좋아하는 민트 요리 중 하나는 민트 에이드다. 4학년 때 도시 텃밭에 열리는 장터에서 민트청을 발견했다. 레몬청, 라임청, 매실청은 들어봤는데 민트청은 처음 들어봤는데 너무 맛있어 보였다. 헤헤. 호기심에 샀는데 정말 맛이 좋아서 여름 내내 마셨다.

어! 민트에 대하여 조사하다 보니, 충격적인 것을 발견했다. 어마어마하게 놀라운 이야기다. 바로 민트초코 치킨이 있다는 것이다. 허허, 맛있겠지?

민트초코에 대해 조사하다 보니 대부분의 정보가 민초파, 반민초파에 대한 얘기였다. 그 이야기만 보더라도 민트초코는 논쟁거리임이 분명하다. 결국 취향의 차이여서 결론이 나지는 않지만, 좋아하는 사람들만 먹으면 되지! 아... 민트초코 먹고 싶다!

　결론은 난 민트를 좋아하고, 이쯤에서 배고픈 데다가 민트초코를 당장 먹고 싶다는 것이다!

끝!

끝내며

내가 처음 우리 반에서 하는 책 프로젝트에 대해 들었을 때 떠오른 생각은 " 오무라이스 잼잼! " 이었다. 오무라이스 잼잼은 내가 좋아하는 웹툰 이름이다. 그 책은 작가의 일상과 먹는 음식들로 이루어져 있는데 너무너무 재밌다. 그래서 나는 그 장르와 같은 책을 쓰기로 했다!

내가 이 책에 대해 원하는 것은 딱 2가지다.
1. 크! 소리가 나게 하는 멋진 표현을 하나쯤은 쓰고 싶다.
2. 피식! 소리가 나게 하는 실없는 소리를 한번 쓰고 싶다.

나는 '들어가며'에서 이렇게 말했었다.

과연 나는 지금 '들어가며'에서 적은 소망을 이루었는가? 한번 생각해 보았다. 완벽히 성공하지 않았지만 그래도 어느 정도는 목표를 이룬 것 같았다. 하지만 나한테는 한이 남아있다.

나열해 보자면 이렇다.

1. 머릿 고기 편을 쓰고 싶었는데 결국에는 쓰지 못했다.
2. 150쪽까지 쓰고 싶었는데 120쪽도 쓰지 못했다.
   (지금은 124쪽 정도인데 고쳐쓰기를 하면서 조금 더 늘려 나가려고 한다. 한 2쪽 정도 늘릴 수 있을 것 같다. 그리고 지금은 내 수업 내용 정리 공책이 이 책보다 두껍다. 너무 슬프다.)
3. 24편을 쓰고 싶었는데 거기까지 가지 못했다.
4. 그림을 그리고 싶었는데 그러지 못했다.
5. 만두 편도 쓰고 싶었는데 쓰지 못했다. (내가 만두를 얼마나 좋아하는데!)
6. 양 채우느라고 정성을 다하지 못한 게 아쉽다. (방학에 열심히 할걸)
7. 내가 마블의 광팬이라는 것을 알리지 못해서 많이 아쉽다. (회덮밥 편에 잠깐 나오고 끝났다. 내가 얼마나 마블을 좋아하는데!! 예전에 마블 검색 하도 많이 해서 엄마한테 뒤지게 혼난 적도 있다.)
8. 귤 편의 서론을 박음질로 시작하고 싶었는데 그러지 못해서 아쉽다.
9. 민트초코 편의 서론을 중간에 바꿨는데 나는 개인적으로 원래의 서론이 좋았다. 그게 좀 아쉽다. (서론을 바꾼 이유는 그 서론을 나만 이해할 수 있었기 때문이다.)

이외에도 많다. 많이 한이 남고 아쉬움으로 가득하지만 그래도 결국 '끝내며'를 쓰게 되다니... 많이 많이 뿌듯하다. 100쪽이 넘는 책을 쓰다니... 그전에는 상상도 못 할 일이었다. 이 일을 하면서 작가님들을 진심으로 존경하게 되었다. 이제 할 말은 딱 한 가지다.

좋은 책으로 기억해 주세요!

2023년 10월 28일 진가은

참고문헌(자료)

1) 김남중, "불량한 자전거 여행", 창비, (2009)

2) 네이버 국어 사전, "과일, 채소", *https://ko.dict.naver.com*

3) 이석원 기자, "토마토는 공포의 음식이었다", 테크홀릭, (2016.11.13.)

4) 샘 베어 외 4인, "초등학생이 알아야 할 음식 100가지", 어스본코리아, (2017)

5) 오뚜기 공식 홈페이지, "크림스프 조리법", *https://ottogi.co.kr*

6) 조경규, "오무라이스 잼잼 98화 변신! 크림스프", 카카오웹툰, (2013.11.18.)

7) tvn, "벌거벗은 세계사 60화", (2022.08.16.)

8) 조경규, "오무라이스 잼잼 309화 나무에서 열리는 아메리카노", 카카오웹툰, (2023.08.15.)

9) 네이버 블로그, 은파, "생밤 쉽게 까는법 까는방법 - 밤 효능 - 밤 칼로리 - 밤 영양성분 - 밤식빵 맛집", (2021.10.01.)

10) 통계청, "한국의 성씨별 인구", 2015(2023 갱신)

11) 네이버 국어 사전, "국", *https://ko.dict.naver.com*

12) 네이버 블로그, 일상을 뜻다, "오이냉국 황금레시피 -오이를 더욱 아삭하게, 냉국을 더욱 시원하게 만드는 법", (2023.07.26.)

13) 티스토리, 엠마노, "회덮밥 만들기", 마노의 리부 공간, (2021.04.29.)

14) 유튜브, 14F (일사에프), "양손으로 비벼도 되쟈나~ 팔도비빔면이 비빔면 시장을 제패한 진짜 이유", (2021.05.31.)

15) 팔도 비빔면 포장지 조리법

16) 조경규, "오무라이스 잼잼 10화 쥬라기 사발면", 카카오 웹툰, (2010.05.26.)

17) 장정훈 기자, "[라면로드] 라면의 역사-1963년 국내 첫 라면 출시", 중앙일보, (2018.08.09.)

18) 위키백과, "라면", *https://ko.wikipedia.org/wiki*

19) 하수정 기자, ""당연히 한국일 줄 알았는데"...라면 소비량 1위 나라는 어디?", 한국경제, (2022.06.30.)

20) 티스토리, 식공, "미역국 맛있게 끓이는 법과 미역국의 역사와 효능, 식품연구소", (2020.04.03.)

21) 네이버 블로그, 농촌진흥청, "아이들과 함께 집에서 콩나물 키우기", (2020.03.27.)

22) 조경규, "오무라이스 잼잼 143화 나의 명란젓", 카카오웹툰, (2015.01.29.)

23) 장승범, "명란젓 아감젓 창난젓...명태로 세가지 젓갈을 만들어", 한국수산경제, (2004.02.27.)

24) 네이버 블로그, 쟈스민, "홈메이드 명란젓 만드는 법", jasmine's food style, (2016.07.09.)

25) 조경규, "오무라이스 잼잼 143화 나의 명란젓", 카카오 웹툰, (2015.01.29.)

26) 박성희 기자, "새콤달콤 제주 귤에 얽힌 수탈의 역사", KBS 뉴스, (2017.06.09.)

27) 한국경제, "[다시! 제주문화](23) 화폭에 담긴 제주 감귤…다른 사연 다른 시선", (2021.11.07.)

28) 네이버 블로그, 오산시, "겨울 간식 '귤'의 모든 것 ㅣ 귤 효능·칼로리·보관법·하루 섭취량", (2021.11.10.)

29) 티스토리, 장군 영어, "외국에서는 사이다가 다른 음료라고? 'cider' vs 'Sprite'", (2018.07.03.)

30) 지역N문화, "1905년 인천에 처음 생긴 사이다공장", 근대 신문으로 보는 음식 > 개항 이후 들어온 음식과 식재료

31) 문화체육관광부 해외문화홍보원, "64년을 이어온 청량감, 칠성 사이다", (2014.12.23.), *https://www.kocis.go.kr/*

32) 조경규, "오무라이스 잼잼 16화 짝퉁 바나나맛 우유", 카카오 웹툰, (2010.06.16.)

33) 안세진 기자, "코카콜라·똥바·삼각커피우유⋯독특한 용기의 역사", 쿠키 뉴스, (2023.09.12.)

34) 조경규, "오무라이스 잼잼 217화 바나나 하면 역시 원숭이", 카카오 웹툰, (2018.05.31.)

35) 이육사, "청포도"

36) 네이버 블로그, 산삼이, "항암 및 빈혈 예방 등 청포도 효능 및 영양성분", (2022.09.01.)

37) 티스토리, 바람음식, "대만에서 세계로: 버블티 문화의 진화", 맛있는 음식, (2023.05.24.)

38) 네이버블로그, 리얼푸드 Realfoods, "'인싸템' 타피오카 펄은 어떻게 만들까?", (2019.07.16.)

39) 박종하, "수학, 생각의 기술·수학! 이렇게 써먹어라", 김영사, (2015)

40) 브런치스토리, 마시즘, "민트초코의 역사, 민초단의 뿌리를 찾아서", (2019.11.08.)

41) 네이버 블로그, 수은화, "박하 민트 / 3월 16일 탄생화", 일별탄생화365, (2018.01.21.)

42) 네이버 블로그, 구름바다, "허브의 모든 것(종류, 특징 및 효능)", 구름바다의 이야기, (2018.05.17.)

출처

kcc 간판체 (한국저작권위원회)

나무위키

오무라이스 잼잼 (조경규) - 카카오 웹툰

음식 18

발　행 | 2023년 12월 06일
저　자 | 진가은
펴낸이 | 한건희
펴낸곳 | 주식회사 부크크
출판사등록 | 2014.07.15.(제2014-16호)
주　소 | 서울특별시 금천구 가산디지털1로 119 SK트윈타워 A동 305호
전　화 | 1670-8316
이메일 | info@bookk.co.kr

ISBN | 979-11-410-5749-7

www.bookk.co.kr